MITO E RELIGIÃO
NA GRÉCIA ANTIGA

MITO E RELIGIÃO
NA GRÉCIA ANTIGA

Jean-Pierre Vernant

Tradução
JOANA ANGÉLICA D'AVILA MELO

SÃO PAULO 2018

Esta obra foi publicada originalmente em francês com o título
MYTHE ET RELIGION EN GRÈCE ANCIENNE
por Éditions du Seuil, Paris.
Copyright © Éditions du Seuil, 1990,
Coleção "La Librairie du XXIe siècle", dirigida por Maurice Olender,
para a versão francesa e a introdução.
Copyright © Macmillan Publishing Company, 1987. Na versão
inglesa, este texto foi publicado com o título "Greek Religion" no
6º volume de The Encyclopedia of Religion, Mircea Eliade (Ed.),
Nova York e Londres, Macmillan, 1987, pp. 99-118.
Copyright © 2006, Livraria Martins Fontes Editora Ltda.,
Copyright © 2013, Editora WMF Martins Fontes Ltda.,
São Paulo, para a presente edição.

1ª edição 2006
3ª tiragem 2018

Transliteração do grego
Juvenal Savian Filho
editorial
Maria Fernanda Alvares
PreparaçãAcompanhamentoo do original
Maria Fernanda Alvares
Revisões gráficas
Sandra Garcia Cortés
Solange Martins
Dinarte Zorzanelli da Silva
Produção gráfica
Geraldo Alves
Paginação
Studio 3 Desenvolvimento Editorial

Dados Internacionais de Catalogação na Publicação (CIP)
(Câmara Brasileira do Livro, SP, Brasil)

Vernant, Jean-Pierre, 1914-2007
Mito e religião na Grécia antiga / Jean-Pierre Vernant ; tradução Joana Angélica D'Avila Melo. – São Paulo : WMF Martins Fontes, 2006.

Título original: Mythe et religion en Grèce ancienne.
Bibliografia.
ISBN 85-60156-04-6

1. Deuses gregos 2. Grécia – Religião 3. Mitologia grega
I. Título.

06-5806 CDD-292.08

Índices para catálogo sistemático:
1. Grécia antiga : Mitologia e religião   292.08

Todos os direitos desta edição reservados à
Editora WMF Martins Fontes Ltda.
Rua Prof. Laerte Ramos de Carvalho, 133 01325.030 São Paulo SP Brasil
Tel. (11) 3293.8150 e-mail: info@wmfmartinsfontes.com.br
http://www.wmfmartinsfontes.com.br

SUMÁRIO

Introdução 1

Mito, ritual, imagem dos deuses 13
    A voz dos poetas 15
    Uma visão monoteísta 20
    A decifração do mito 24

O mundo dos deuses 29
    Zeus, pai e rei 30
    Mortais e imortais 37

A religião cívica 41
    Sobre os deuses e os heróis 44
    Os semideuses 47

Dos homens aos deuses: o sacrifício 53
    Repasto de festa 57
    Os ardis de Prometeu 61
    Entre animais e deuses 66

O misticismo grego.. 69
   Os mistérios de Elêusis 71
   Dioniso, o estranho estrangeiro 75
   O orfismo. Em busca da unidade perdida... 81
   Fugir do mundo 85

Bibliografia 89

INTRODUÇÃO

Tentar num breve ensaio fazer um quadro da religião grega não seria uma aposta perdida de antemão? Assim que pegamos na pena para escrever, surgem muitas dificuldades e muitas objeções nos assaltam, mal a tinta secou. Teremos o direito, até mesmo, de falar de religião, no sentido em que a entendemos? No "retorno do religioso" com o qual hoje todos se espantam, para comemorá-lo ou para deplorá-lo, o politeísmo dos gregos não tem vez. Porque se trata de uma religião morta, é claro, mas também porque nada poderia oferecer à expectativa daqueles que buscam realimentar-se numa comunidade de crentes, num enquadramento religioso da vida coletiva, numa fé íntima. Do paganismo ao mundo contemporâneo, modificaram-se o próprio estatuto da religião, seu papel, suas funções, tanto quanto seu lugar dentro do indivíduo e do grupo. A.-J.

Festugière – teremos oportunidade de voltar mais longamente a isso – excluía da religião helênica todo o campo da mitologia, sem o qual, contudo, teríamos grande dificuldade em conceber os deuses gregos. Segundo ele, somente o culto, nessa religião, pertence ao âmbito religioso. O culto, ou melhor, aquilo que, como bom monoteísta, ele acredita poder projetar de sua própria consciência cristã sobre os ritos dos antigos. Outros estudiosos levam mais longe essa exclusão. Da piedade antiga suprimem tudo o que lhes parece estranho a um espírito religioso definido por referência ao nosso. Assim, ao falar do orfismo, Comparetti afirmava em 1910 ser esta a única religião que, dentro do paganismo, merece tal nome: "todo o resto, salvo os mistérios, não passa de mito e culto". Todo o resto? À exceção de uma corrente sectária inteiramente marginal em sua aspiração a fugir deste mundo para unir-se ao divino, a religiosidade dos gregos se reduziria a ser apenas mito, ou seja, do ponto de vista desse autor, fabulação poética e culto, isto é, ainda segundo ele, conjunto de observâncias rituais sempre mais ou menos aparentadas com as práticas mágicas das quais se originam.

O historiador da religião grega, portanto, deve navegar entre dois escolhos. Precisa abster-se de "cristianizar" a religião que ele estuda, interpretando o pensamento, as condutas, os sentimentos do grego exercendo sua piedade no contexto de uma religião cívica tendo por modelo o crente de hoje, que assegura sua salvação pessoal, nesta vida e na outra, no seio de uma Igreja que é a única habilitada a conferir-lhe os sacramentos que fazem dele um fiel. Porém, assinalar a distância, e mesmo as oposições, entre os politeísmos das cidades gregas e os monoteísmos das grandes religiões do Livro não deve levar a desqualificar os primeiros, a suprimi-los do plano religioso para relegá-los a outro domínio, vinculando-os, como fizeram os defensores da escola antropológica inglesa na esteira de J. G. Frazer e J. E. Harrison, a um fundo de "crenças primitivas" e de práticas "mágico-religiosas". As religiões antigas não são nem menos ricas espiritualmente nem menos complexas e organizadas intelectualmente do que as de hoje. Elas são outras. Os fenômenos religiosos têm formas e orientações múltiplas. A tarefa do historiador é identificar o que a religiosidade dos gregos pode ter de específico, em seus contrastes e suas analogias com os outros grandes sistemas, politeístas e monoteístas, que regulamentam as relações dos homens com o além.

Se não houvesse analogias, não poderíamos falar, a propósito dos gregos, de piedade e de impiedade, de pureza e de mácula, de temor e de respeito diante dos deuses, de cerimônias e de festas em homenagem a eles, de sacrifício, de oferenda, de prece, de ação de graças. Mas as diferenças saltam aos olhos; são tão fundamentais que até os atos cultuais cuja constância parece ser a mais estabelecida e que, de uma religião para outra, são designados por um só e mesmo termo, como o sacrifício, apresentam em seus procedimentos, em suas finalidades, em seu alcance teológico, divergências tão radicais que é possível falar em relação a elas tanto de permanência quanto de mutação e de ruptura.

Todo panteão, como o dos gregos, supõe deuses múltiplos; cada um tem suas funções próprias, seus domínios reservados, seus modos particulares de ação, seus tipos específicos de poder. Esses deuses que, em suas relações mútuas, compõem uma sociedade do além hierarquizada, na qual as competências e os privilégios são alvo de uma repartição bastante estrita, limitam-se necessariamente uns aos outros, ao mesmo tempo que se completam. Tal como a unicidade, o divino, no politeísmo, não implica, como para nós, a onipotência, a onisciência, a infinidade, o absoluto.

Esses deuses múltiplos estão no mundo e dele fazem parte. Não o criaram por um ato que, no caso do deus único, marca a completa transcendência deste em relação a uma obra cuja existência deriva e depende inteiramente dele. Os deuses nasceram do mundo. A geração daqueles aos quais os gregos prestam um culto, os olimpianos, veio à luz ao mesmo tempo que o universo, diferenciando-se e ordenando-se, assumia sua forma definitiva de cosmos organizado. Esse processo de gênese operou-se a partir de Potências primordiais, como Vazio (*Cháos*) e Terra (*Gaîa*), das quais saíram, ao mesmo tempo e pelo mesmo movimento, o mundo, tal como os humanos que habitam uma parte dele podem contemplá-lo, e os deuses, que a ele presidem invisíveis em sua morada celeste.

Há, portanto, algo de divino no mundo e algo de mundano nas divindades. Assim, o culto não pode visar a um ser radicalmente extramundano, cuja forma de existência não tenha relação com nada que seja de ordem natural, no universo físico, na vida humana, na existência social. Ao contrário, o culto pode dirigir-se a certos astros como a Lua, à aurora, à luz do Sol, à noite, a uma fonte, um rio, uma árvore, ao cume de uma montanha e igualmente a um sentimento, uma paixão (*Aidós*, *Éros*), uma noção moral ou social (*Díke*, *Eynomía*). Não que se trate sempre de deuses propriamente ditos, mas todos, no registro que lhes é próprio, manifestam o divino do mesmo modo que a imagem cultual, tornando presente a divindade em seu templo, pode legitimamente ser objeto da devoção dos fiéis.

Em sua presença num cosmos repleto de deuses, o homem grego não separa, como se fossem dois domínios opostos, o natural e o sobrenatural. Estes permanecem intrinsecamente ligados um ao outro. Diante de certos aspectos do mundo, experimenta o mesmo sentimento de sagrado que no comércio com os deuses, por ocasião das cerimônias que estabelecem o contato com eles.

Não que se trate de uma religião da natureza e que os deuses gregos sejam personificações de forças ou de fenômenos naturais. Eles não são nada disso. O raio, a tempestade, os altos cumes não são Zeus, mas de Zeus. Um Zeus muito além deles, visto que os engloba no seio de uma Potência que se estende a realidades, não mais físicas mas psicológicas, éticas ou institucionais. O que faz de uma Potência uma divindade é o fato de que, sob sua autoridade, ela reúne uma pluralidade de "efeitos", para nós completamente díspares, mas que o grego relaciona entre si porque vê neles a expressão de um mesmo poder exercendo-se nos mais diversos domínios. Se o raio ou as alturas são de Zeus, é que o deus se manifesta no conjunto do universo por tudo o que traz a marca de uma eminente superioridade, de uma supremacia. Zeus não é força natural; ele é rei, detentor e senhor da soberania em todos os aspectos que ela pode revestir.

Um deus único, perfeito, transcendente, incomensurável para o espírito limitado dos humanos, como alcançá-lo pelo pensamento? Nas malhas de que rede o entendimento poderia abranger o infinito? Deus não é cognoscível; pode-se apenas reconhecê-lo, saber que ele é, no absoluto de seu ser. Para preencher a intransponível distância entre Deus e o resto do mundo, é necessária a intervenção de intermediários, de mediadores. Para fazer-se conhecer às suas criaturas, foi preciso que Deus decidisse revelar-se a algumas dentre elas. Numa religião monoteísta, a fé normalmente faz referência a alguma forma de revelação: de saída, a crença enraíza-se na esfera do sobrenatural. O politeísmo grego não repousa sobre uma revelação; não há nada que fundamente, a partir do divino e por ele, sua inescapável verdade; a adesão baseia-se no uso: os costumes humanos ancestrais, os *nómoi*. Tanto quanto a língua, o modo de vida, as maneiras à mesa, a vestimenta, o sustento, o estilo de comportamento nos âmbitos privado e público, o culto não precisa de outra justificação além de sua própria existência: desde que passou a ser praticado, provou ser necessário. Ele exprime o modo pelo qual os gregos regulamentaram, desde sempre, suas relações com o além. Afastar-se disso significaria já não ser completamente si mesmo, como ocorreria a alguém que esquecesse de seu idioma.

Entre o religioso e o social, o doméstico e o cívico, portanto, não há oposição nem corte nítido, assim como entre sobrenatural e natural, divino e mundano. A religião grega não constitui um setor à parte, fechado em seus limites e superpondo-se à vida familiar, profissional, política ou de lazer, sem confundir-se com ela. Se é cabível falar, quanto à Grécia arcaica e clássica, de "religião cívica", é porque ali o religioso está incluído no social e, reciprocamente, o social, em todos os seus níveis e na diversidade dos seus aspectos, é penetrado de ponta a ponta pelo religioso.

Daí uma dupla conseqüência. Nesse tipo de religião, o indivíduo não ocupa, como tal, um lugar central. Não participa do culto por razões puramente pessoais, como criatura singular voltada para a salvação de sua alma. Exerce nele o papel que seu estatuto social lhe atribui: magistrado, cidadão, membro de uma fratria, de uma tribo ou de um demo, pai de família, matrona, jovem – rapaz ou moça – nos diversos aspectos de sua entrada na vida adulta. Religião que consagra uma ordem coletiva e que integra nesta, no lugar que convém, suas diferentes componentes, mas que deixa fora de seu campo as preocupações relativas a cada indivíduo, à eventual imortalidade deste, ao seu destino além da morte. Nem mesmo os mistérios, como os de Elêusis, nos quais os iniciados compartilham a promessa de uma sorte melhor no Hades, têm a ver com a alma: neles não há nada que evoque uma reflexão sobre a natureza dela ou a aplicação de técnicas espirituais para sua purificação. Como observa Louis Gernet[1], o pensamento dos mistérios permanece suficientemente confinado para que nele se perpetue, sem grande mudança, a concepção homérica de uma

---

1. "L'anthropologie de la religion grecque" (1955), em *Anthropologie de la Grèce antique*, Paris, 1968, p. 12.

psykhé, fantasma do vivo, sombra inconsistente relegada sob a terra.

O fiel, portanto, não estabelece com a divindade uma relação de pessoa para pessoa. Um deus transcendente, precisamente por estar fora do mundo, fora de alcance deste mundo, pode encontrar no foro íntimo de cada devoto, em sua alma, se ela tiver sido preparada religiosamente para tal, o lugar privilegiado de um contato e de uma comunhão. Os deuses gregos não são pessoas mas Potências. O culto os honra em razão da extrema superioridade do estatuto deles. Embora pertençam ao mesmo mundo que os humanos e, de certa forma, tenham a mesma origem, eles constituem uma raça que, ignorando todas as deficiências que marcam as criaturas mortais com o selo da negatividade – fraqueza, fadiga, sofrimento, doença, morte –, encarna não o absoluto ou o infinito mas a plenitude dos valores que importam na existência nesta terra: beleza, força, juventude constante, permanente irrupção da vida.

Segunda conseqüência. Dizer que o político está impregnado de religioso é reconhecer, ao mesmo tempo, que o próprio religioso está ligado ao político. Toda magistratura tem um caráter sagrado, mas todo sacerdócio tem algo de autoridade pública. Se os deuses são da cidade, e se não existe cidade sem divindades políades que velam, interna e externamente, por sua salvação, é a assembléia do povo que comanda a economia das *hierá*, das coisas sagradas, dos assuntos dos deuses, assim como os dos homens. Ela fixa os calendários religiosos, edita leis sagradas, decide sobre a organização das festas, sobre o regulamento dos santuários, sobre os sacrifícios a fazer, sobre os deuses novos a acolher e sobre as honras que lhes são devidas. Uma vez que não há cidade sem deuses, os deuses cívicos, em contrapartida, precisam de cidades que os reconheçam, que os adotem e os façam seus. De certo modo eles necessitam, como escreve Marcel Detienne[2], tornar-se cidadãos para serem plenamente deuses.

Nesta introdução, quisemos prevenir o leitor contra a tentação bastante natural de assimilar o mundo religioso dos antigos gregos àquele que hoje nos é familiar. Mas, ao privilegiar os traços diferenciais, não podíamos evitar o risco de forçar um pouco o quadro. Nenhuma religião é simples, homogênea, unívoca. Mesmo nos séculos VI e V antes da nossa era, quando o culto cívico, tal como o evocamos, dominava toda a vida religiosa das cidades, não deixavam de existir ao lado dele, em suas franjas, correntes mais ou menos marginais de orientação diferente. É preciso ir mais longe. A própria religião cívica, embora modele os comportamentos religiosos, só pode garantir plenamente seu domínio reservando um lugar, em seu seio, para os cultos de

---

2. *La Vie quotidienne des dieux grecs* (com G. Sissa), Paris, 1989, p. 172; cf. também pp. 218-30.

mistérios cujas aspirações e atitudes lhe são parcialmente estranhas, e integrando a si mesma, para englobá-la, uma experiência religiosa como o dionisismo, cujo espírito é, sob tantos pontos de vista, contrário ao seu.

Religião cívica, dionisismo, mistérios, orfismo: sobre as relações entre eles durante o período de que trata nosso estudo, sobre a influência, o alcance, a significação de cada um, o debate não está encerrado. Historiadores da religião grega que pertencem, como Walter Burkert, a outras escolas de pensamento que não aquela à qual eu me vinculo defendem pontos de vista diferentes dos meus. E, entre os estudiosos mais próximos de mim, a concordância sobre o essencial não deixa de apresentar, quanto a certos pontos, algumas nuanças ou divergências.

A forma de ensaio que escolhi não me convidava a evocar essas discussões entre especialistas nem a me lançar numa controvérsia erudita. Minha ambição limitava-se a propor, para compreender a religião grega, uma chave de leitura. Meu mestre Louis Gernet deu à grande obra, sempre atual, que consagrou ao mesmo assunto o título de *Le Génie grec dans la religion*[3] [O gênio grego na religião]. Neste pequeno volume, quis tornar sensível ao leitor aquilo a que chamaria de bom grado o estilo religioso grego.

---

3. L. Gernet e A. Boulanger, *Le Génie grec dans la religion*, 1932. Reeditado em 1970.

MITO, RITUAL, IMAGEM DOS DEUSES

A religião grega arcaica e clássica apresenta, entre os séculos VIII e IV antes da era cristã, vários traços característicos que é necessário lembrar. Assim como outros cultos politeístas, é estranha a toda forma de revelação: não conheceu nem profeta nem messias. Mergulha suas raízes numa tradição que engloba a seu lado, intimamente mesclados a ela, todos os outros elementos constitutivos da civilização helênica, tudo aquilo que dá à Grécia das cidades-Estado sua fisionomia própria, desde a língua, a gestualidade, as maneiras de viver, de sentir, de pensar, até os sistemas de valores e as regras da vida coletiva. Essa tradição religiosa não é uniforme nem estritamente determinada; não tem nenhum caráter dogmático. Sem casta sacerdotal, sem clero especializado, sem Igreja, a religião grega não conhece livro sagrado no qual a verdade estivesse definitivamente depositada num texto. Ela não implica nenhum *credo* que imponha aos fiéis um conjunto coerente de crenças relativas ao além.

Se de fato é assim, sobre o que repousam e como se exprimem as convicções íntimas dos gregos em matéria religiosa? Como não se situam num plano doutrinal, suas certezas não acarretam para o devoto a obrigação, sob pena de impiedade, de aderir integral e literalmente a um corpo de verdades definidas; para quem cumpre os ritos, basta dar crédito a um vasto repertório de narrativas conhecidas desde a infância, em versões suficientemente diversas e em variantes numerosas o bastante para deixar, a cada um, uma ampla margem de interpretação. É dentro desse quadro e sob essa forma que ganham corpo as crenças em relação aos deuses e que se produz, quanto à natureza, ao papel e às exigências deles, um consenso de opiniões suficientemente seguras. Rejeitar esse fundo de crenças comuns seria, da mesma maneira que deixar de falar grego e deixar de viver ao modo grego, deixar de ser si mesmo. Mas nem por isso ignoram que existem outras línguas, outras religiões além da sua, e sempre podem, sem cair na incredulidade, tomar em relação à sua própria religião distância suficiente para elaborar a respeito dela uma livre reflexão crítica. Os gregos não se privaram disso.

A voz dos poetas

Como se conserva e se transmite, na Grécia, essa massa de "saberes" tradicionais, veiculados por certas narrativas, sobre a sociedade do além, as famílias dos deuses, a genealogia de cada um, suas aventuras, seus conflitos ou acordos, seus poderes respectivos, seu domínio e seu modo de ação, suas prerrogativas, as honras que lhes são devidas? No que concerne à linguagem, essencialmente de duas maneiras. Primeiro, mediante uma tradição puramente oral exercida boca a boca, em cada lar, sobretudo através das mulheres: contos de amas-de-leite, fábulas de velhas avós, para falar como Platão, e cujo conteúdo as crianças assimilam desde o berço. Essas narrativas, esses *mýthoi*, tanto mais familiares quanto foram escutados ao mesmo tempo que se aprendia a falar, contribuem para moldar o quadro mental em que os gregos são muito naturalmente levados a imaginar o divino, a situá-lo, a pensá-lo.

Em seguida, é pela voz dos poetas que o mundo dos deuses, em sua distância e sua estranheza, é apresentado aos humanos, em narrativas que põem em cena as potências do além revestindo-as de uma forma familiar, acessível à inteligência. Ouve-se o canto dos poetas, apoiado pela música de um instrumento, já não em particular, num quadro íntimo, mas em público, durante os banquetes, as festas oficiais, os grandes concursos e os jogos. A atividade literária, que prolonga e modifica, pelo recurso à escrita, uma tradição antiqüíssima de poesia oral, ocupa um lugar central na vida social e espiritual da Grécia. Não se trata, para os ouvintes, de um simples divertimento pessoal, de um luxo reservado a uma elite erudita, mas de uma verdadeira instituição que serve de memória social, de instrumento de conservação e comunicação do saber, cujo papel é decisivo. É na poesia e pela poesia que se exprimem e se fixam, revestindo uma forma verbal fácil de memorizar, os traços fundamentais que, acima dos particularismos de cada cidade, fundamentam para o conjunto da Hélade uma cultura comum – especialmente no que concerne às representações religiosas, quer se trate dos deuses propriamente ditos, quer dos demônios, dos heróis ou dos mortos. Se não existissem todas as obras da poesia épica, lírica, dramática, poder-se-ia falar de cultos gregos no plural, mas não de *uma* religião grega. Sob esse aspecto, Homero e Hesíodo exerceram um papel privilegiado. Suas narrativas sobre os seres divinos adquiriram um valor quase canônico; funcionaram como modelos de referência para os autores que vieram depois, assim como para o público que as ouviu ou leu.

Sem dúvida os outros poetas não tiveram uma influência comparável. Mas, enquanto a cidade permaneceu viva, a atividade poética continuou a exercer esse papel de espelho que devolvia ao grupo humano sua própria imagem, permitindo-lhe apreender-se em sua dependência em relação ao sagrado, definir-se ante os Imortais, compreender-se naquilo que assegura a uma comunidade de seres perecíveis sua coesão, sua duração, sua permanência através do fluxo das gerações sucessivas.

Por conseguinte, um problema se apresenta ao historiador das religiões. Se a poesia se encarrega de tal forma do conjunto das afirmações que um grego se crê fundamentado a sustentar sobre os seres divinos, sobre as relações deles com as criaturas mortais, se a cada poeta cabe expor, às vezes modificando-as um pouco, as lendas divinas e heróicas cuja soma constitui a enciclopédia dos conhecimentos de que o grego dispõe em relação ao além, conviria considerar essas narrativas poéticas, esses relatos dramatizados documentos de ordem religiosa, ou atribuir-lhes apenas um valor puramente literário? Em suma, os mitos e a mitologia, nas formas que a civilização grega lhes deu, devem ser vinculados ao domínio da religião ou ao da literatura?

Para os eruditos do Renascimento, assim como ainda para a grande maioria dos estudiosos do século XIX, a resposta é evidente. Aos olhos deles, a religião grega é antes de tudo aquele tesouro, múltiplo e abundante, de narrativas lendárias que os autores gregos – seguidos pelos latinos – nos transmitiram, e nas quais o espírito do paganismo permaneceu suficientemente vivo para oferecer ao leitor de hoje, num mundo cristão, o meio de acesso mais seguro à compreensão do que foi o politeísmo dos antigos.

Aliás, ao adotarem esse ponto de vista, os modernos contentavam-se em seguir os passos dos antigos, em tomar o caminho que estes haviam traçado. Já no século VI a.C., Teágenes de Reggio e Hecateu inauguram a postura intelectual que se perpetua depois deles: os mitos tradicionais já não são apenas retomados, desenvolvidos, modificados; eles constituem o objeto de um exame racional; submetem-se as narrativas, particularmente as de Homero, a uma reflexão crítica, ou então aplica-se a elas um método de exegese alegórica. No século V se inicia um trabalho que desde então é sistematicamente continuado e essencialmente toma duas direções. Primeiro, a coleta e a recensão de todas as tradições lendárias orais, próprias de uma cidade ou de um santuário; tal é a tarefa dos cronistas que, à maneira dos atidógrafos no caso de Atenas, pretendem fixar por escrito a história de uma aglomeração urbana e de um povo, desde as origens mais longínquas, remontando aos tempos fabulosos em que os deuses, misturados aos homens, intervinham diretamente nos assuntos destes para fundar cidades e gerar as linhagens das primeiras dinastias reinantes. Assim é possível, a partir da época helenística, a compilação realizada por eruditos que resultará na redação de verdadeiros repertórios mitológicos: *Biblioteca* do Pseudo-Apolodoro, *Fábulas e astronômicas* de Higino, livro IV das *Histórias* de Diodoro, *Metamorfoses* de Antoninus Liberalis, coletânea dos *Mitógrafos do Vaticano*.

Em segundo lugar, e paralelamente a esse esforço que visa a apresentar, em forma de compêndio e segundo uma ordem sistemática, o fundo comum das lendas gregas, vemos manifestarem-se, sensíveis já entre os poetas, certas hesitações e inquietações quanto ao crédito a atribuir, nessas narrativas, a episódios escandalosos que parecem incompatíveis com a eminente dignidade do divino. Mas é com o desenvolvimento da história e da filosofia que a interrogação ganha toda a sua amplitude e que, por conseguinte, a crítica atinge o mito em geral. Confrontada à investigação do historiador e ao raciocínio do filósofo, a fábula vê ser-lhe recusada, dada sua condição de fábula, qualquer competência para falar do divino de modo válido e autêntico. Assim, ao mesmo tempo que se dedicam com o máximo cuidado a repertoriar e a fixar seu patrimônio lendário, os gregos são levados a questioná-lo, de maneira às vezes radical, apresentando com clareza o problema da verdade – ou da falsidade – do mito. Nesse plano, as soluções são diversas: desde a rejeição, a denegação pura e simples, até as múltiplas formas de interpretação que permitem "salvar" o mito substituindo a leitura banal por uma hermenêutica erudita que revela, sob a trama da narração, um ensinamento secreto análogo, por trás do disfarce da fábula, às verdades fundamentais cujo conhecimento, privilégio do sábio, abre a única via de acesso ao divino. Mas, quer recolham preciosamente seus mitos, quer os interpretem, critiquem-nos ou rejeitem-nos em nome de outro tipo de saber, mais verídico, os antigos continuam a reconhecer neles o papel intelectual que lhes era comumente atribuído, na Grécia das cidades-Estado, como instrumento de informação sobre o mundo do além.

Uma visão monoteísta

Contudo, entre os historiadores da primeira metade do século XX, desenha-se uma orientação nova: muitos, em sua investigação sobre a religião grega, tomam distância em relação a tradições lendárias que eles se recusam a considerar como um documento de ordem propriamente religiosa, com valor de testemunho pertinente sobre o estado real das crenças e sobre os sentimentos dos fiéis. Para esses estudiosos, é na organização do culto, no calendário das festas sagradas, nas liturgias celebradas para cada deus em seu santuário, que reside a religião. Diante dessas práticas rituais, que formam o autêntico terreno fértil onde se enraízam os comportamentos religiosos, o mito aparece como excrescência literária, como pura fabulação. Fantasia sempre mais ou menos gratuita dos poetas, ele só pode ter relações longínquas com a convicção íntima do crente, envolvido na concretude das cerimônias cultuais, na série de atos cotidianos que, colocando-o diretamente em contato com o sagrado, fazem dele um homem piedoso.

No capítulo "Grécia" da *Histoire générale des religions* [História geral das religiões], publicada em 1944, A.-J. Festugière adverte o leitor nestes termos: "Poetas e escultores, obedecendo às próprias exigências de sua arte, inclinam-se inegavelmente a representar uma sociedade de deuses muito caracterizados: forma, atributos, genealogia, história, tudo é nitidamente definido; mas o culto e o sentimento popular revelam outras tendências." Assim, vê-se circunscrito, de saída, o campo do religioso: "Para compreender a verdadeira religião grega, esquecendo portanto a mitologia dos poetas e da arte, dirijamo-nos ao culto e aos cultos mais antigos."[1]

A que respondem esse *parti pris* exclusivo em favor do culto e essa prevalência atribuída, no culto, ao mais arcaico? A dois tipos de razões, bem distintas. As primeiras são de ordem geral e ligam-se à filosofia pessoal do estudioso, à idéia que ele faz da religião. As segundas respondem a exigências mais técnicas: o progresso dos estudos clássicos, particularmente o desenvolvimento da arqueologia e da

---

1. *Histoire générale des religions*, sob a direção de M. Gorce e R. Mortier, Paris, 1944. O estudo de A.-J. Festugière, intitulado "La Grèce. La religion", faz parte do tomo II: *Grèce-Rome*, pp. 27-197.

epigrafia, abriu àqueles que pesquisam o mundo antigo, ao lado do campo mitológico, novos domínios de investigação que levaram a questionar, às vezes para modificá-lo bem profundamente, o quadro que apenas a tradição literária oferecia da religião grega.

Como se apresentam hoje esses dois pontos? Em relação ao primeiro, várias observações podem ser feitas. A rejeição da mitologia repousa sobre um preconceito antiintelectualista em matéria religiosa. Por trás da diversidade das religiões, assim como para além da pluralidade dos deuses do politeísmo, postula-se um elemento comum que formaria o núcleo primitivo e universal de toda experiência religiosa. Ele não pode ser encontrado, é claro, nas construções sempre múltiplas e variáveis que o espírito elaborou para tentar imaginar o divino; então, é situado fora da inteligência, no sentimento de terror sagrado que o homem experimenta cada vez que lhe é imposta, em sua irrecusável estranheza, a evidência do sobrenatural. Os gregos têm uma palavra para designar essa reação afetiva, imediata e irracional, ante a presença do sagrado: *thámbos*, o temor reverencial. Essa seria a base sobre a qual se apoiariam os cultos mais antigos, as diversas formas assumidas pelo rito para corresponder, a partir da mesma origem, à pluralidade das circunstâncias e das necessidades humanas.

Analogamente, por trás da variedade dos nomes, das imagens, das funções próprias de cada divindade, supõe-se que o rito aciona a mesma experiência do "divino" em geral, como potência supra-humana (*to kreítton*). Esse divino indeterminado, em grego *tò theîon* ou *tò daimónion*, subjacente aos deuses específicos, diversifica-se em função dos desejos ou dos temores aos quais o culto deve responder. Nesse tecido comum do divino, os poetas, por sua vez, recortarão figuras singulares; e as animarão imaginando uma série de aventuras dramáticas para cada uma, ao sabor daquilo que A.-J. Festugière não hesita em denominar "romance divino". Em contraposição, para todo ato cultual, não há outro deus senão aquele que é invocado; uma vez que a pessoa se dirige a ele, "nele se concentra toda a força divina, só ele é considerado. Em teoria, certamente não se trata de um deus único, já que existem outros e a pessoa sabe disso. Na prática, porém, no estado de alma atual do fiel, o deus invocado suplanta os outros naquele momento"[2].

A recusa a levar em conta o mito revela assim seu segredo: ela desemboca justamente naquilo que, mais ou menos conscientemente, se pretendia provar no início; apagando as diferenças e as oposições que, num panteão, distinguem os deuses uns dos outros, suprime-se ao mesmo tempo toda verdadeira distância entre os politeísmos, do tipo grego, e o monoteísmo cristão, que, então, passa por modelo.

---

2. *Ibid.*, p. 50.

Esse nivelamento dos universos religiosos, que se tenta fundir no mesmo molde, não pode satisfazer o historiador. A primeira preocupação deste não deve ser, em vez disso, distinguir os traços específicos que dão a cada grande religião sua fisionomia própria e que fazem dela, em sua unicidade, um sistema plenamente original? Além do temor reverencial e do sentimento difuso do divino, a religião grega apresenta-se como uma vasta construção simbólica, complexa e coerente, que abre para o pensamento como para o sentimento seu espaço em todos os níveis e em todos os seus aspectos, inclusive o culto. O mito faz sua parte nesse conjunto da mesma maneira que as práticas rituais e os modos de figuração do divino: mito, rito, representação figurada, tais são as três formas de expressão – verbal, gestual, por imagem – através das quais a experiência religiosa dos gregos se manifesta, cada uma constituindo uma linguagem específica que, até em sua associação às outras duas, responde a necessidades particulares e assume uma função autônoma.

A decifração do mito

De resto, os trabalhos de Georges Dumézil e Claude Lévi-Strauss sobre o mito levaram a formular de modo totalmente diferente os problemas da mitologia grega: como ler esses textos, que alcance intelectual reconhecer-lhes, que estatuto eles assumem na vida religiosa? Acabou-se o tempo em que se podia falar do mito como se se tratasse da fantasia individual de um poeta, de uma fabulação romanesca, livre e gratuita. Até mesmo nas variações às quais se presta, um mito obedece a limitações coletivas bastante estritas. Um autor como Calímaco, quando, na época helenística, retoma um tema lendário para apresentar dele uma nova versão, não está livre para modificar à vontade os elementos desse tema e para recompor-lhe o roteiro a seu bel-prazer. Ele se inscreve numa tradição; quer se amolde a ela com exatidão, quer se afaste em algum ponto, é sustentado por ela, apóia-se nela e deve referir-se a ela, pelo menos implicitamente, se quiser que sua narrativa seja entendida pelo público. Louis Gernet já o assinalou: mesmo quando parece inventar tudo, o narrador trabalha respeitando a linha de uma "imaginação lendária" que tem seu modo de funcionamento, suas necessidades internas, sua coerência. Mesmo sem saber, o autor deve submeter-se às regras desse jogo de associações, de oposições, de homologias que a série de versões anteriores desencadeou e que constituem o arcabouço conceitual comum às narrativas desse tipo. Cada narrativa, para ganhar sentido, deve ser ligada e confrontada às outras, porque, juntas, compõem um mesmo espaço semântico cuja configuração particular é como que a marca característica da tradição lendária grega.

É esse espaço mental, estruturado e ordenado, que a análise de um mito na totalidade de suas versões ou de um *corpus* de mitos diversos, centrados em torno de um mesmo tema, deve permitir explorar.

A decifração do mito, portanto, opera seguindo outros caminhos e responde a outras finalidades que não as do estudo literário. Visa a destrinçar, na própria composição da fábula, a arquitetura conceitual envolvida nesta, os grandes quadros de classificação implicados, as escolhas operadas na decupagem e na codificação do real, a rede de relações que a narrativa institui, por seus procedimentos narrativos, entre os diversos elementos que ela faz intervir na corrente do enredo. Em suma, o mitólogo procura reconstituir o que Dumézil denomina uma "ideologia", entendida como uma concepção e uma apreciação das grandes forças que, em suas relações mútuas, em seu justo equilíbrio, dominam o mundo – o natural e o sobrenatural –, os homens, a sociedade, fazendo-os ser o que devem ser.

Nesse sentido, o mito, sem se confundir com o ritual nem se subordinar a ele, tampouco se lhe opõe tanto quanto já se disse. Em sua forma verbal, o mito é mais explícito que o rito, mais didático, mais apto e inclinado a "teorizar". Dessa forma, traz em si o germe daquele "saber" cuja herança a filosofia recolherá para fazer dele seu objeto próprio, transpondo-o para outro registro de língua e de pensamento: ela formulará seus enunciados utilizando vocabulário e conceitos desvinculados de qualquer referência aos deuses da religião comum. O culto é menos desinteressado, mais envolvido com considerações de ordem utilitária. Mas nem por isso é menos simbólico. Uma cerimônia ritual desenrola-se segundo um roteiro cujos episódios são tão estritamente ordenados, tão cheios de significação quanto as seqüências de uma narrativa. Cada detalhe dessa encenação, através da qual o fiel, em circunstâncias definidas, busca representar sua relação com este ou aquele deus, comporta uma dimensão e um desígnio intelectuais: implica certa idéia do deus, das condições de sua abordagem, dos efeitos que os diversos participantes, em função de seu papel e de seu estatuto, podem esperar dessa inter-relação simbólica com a divindade.

Assumem o mesmo caráter os modos de figuração. Conquanto tenham dado, na época clássica, um lugar privilegiado à grande estátua antropomorfa do deus, os gregos conheceram todas as formas de representação do divino: símbolos não-icônicos, fossem eles objetos naturais, como uma árvore ou uma pedra bruta, fossem produtos confeccionados pela mão humana: poste, pilar, cetro; figuras icônicas diversas: pequeno ídolo mal desbastado, no qual a forma do corpo, dissimulada pelas roupas, nem sequer é visível; figuras monstruosas nas quais o bestial se mescla ao humano; simples máscara em que o divino é evocado por um rosto encovado, de olhos fascinantes; estátua plenamente humana. Nem todas essas figuras são equivalentes nem convêm indiferentemente a todos os deuses ou a todos os aspectos de um mesmo deus. Cada uma tem sua própria maneira de traduzir certos aspectos do divino, de "presentificar" o além, de inscrever e de localizar o sagrado no espaço deste mundo: um pilar ou um poste cravados no solo não têm nem a mesma função nem o mesmo valor simbólico de um ídolo ritualmente deslocado de um lugar a outro, de uma imagem encerrada num depósito secreto, com as pernas acorrentadas para não poder fugir, de uma grande estátua cultual instalada definitivamente num templo para mostrar a presença permanente do deus em sua casa. Cada forma de representação implica, para a divindade figurada, um modo particular de manifestar-se aos humanos e de exercer, através de suas imagens, o tipo de poder sobrenatural cujo controle ela possui.

Se, de acordo com modalidades diversas, mito, figuração e ritual operam todos no mesmo registro de pensamento simbólico, compreende-se que eles possam associar-se para fazer de cada religião um conjunto ou, retomando as palavras de Georges Dumézil: "Conceitos, imagens e ações articulam-se e formam por suas ligações uma espécie de rede na qual, de direito, toda a matéria da experiência humana deve se prender e se distribuir."[3]

---

3. *L'Héritage indo-européen à Rome*, Paris, 1949, p. 64.

O MUNDO DOS DEUSES

Se mito, ritual e figuração constituem essa "rede" de que fala Dumézil, ainda é preciso, como ele o fez, localizar nela as malhas e delimitar as configurações desenhadas por seu entrelaçamento. Tal deve ser a tarefa do historiador.

No caso grego, essa tarefa revela-se muito mais difícil do que no das outras religiões indo-européias, nas quais o esquema das três funções – soberania, guerra, fecundidade – se manteve no essencial. Servindo de arcabouço e como que de elemento de sustentação para todo o edifício, essa estrutura, nos casos em que está claramente atestada, confere ao conjunto da construção uma unidade de que a religião grega parece bem desprovida.

De fato, ela apresenta uma complexidade de organização que exclui o recurso a um código de leitura único para todo o sistema. Sem dúvida, um deus grego define-se pelo conjunto de relações que o unem e o opõem às outras divindades do panteão, mas as estruturas teológicas assim evidenciadas são demasiado múltiplas e sobretudo de ordem demasiado diversa para poderem integrar-se no mesmo esquema dominante. Segundo as cidades, os santuários, os momentos, cada deus entra numa rede variada de combinações com os outros. Esses reagrupamentos de deuses não obedecem a um modelo único, que tenha valor privilegiado; eles se ordenam numa pluralidade de configurações que não se superpõem exatamente, mas sim compõem um quadro de várias entradas, de eixos múltiplos, cuja leitura varia em função do ponto de partida considerado e da perspectiva adotada.

Zeus, pai e rei

Tomemos o exemplo de Zeus, exemplo que, para nós, é tanto mais instrutivo quanto o nome desse deus revela claramente sua origem: nele se lê a mesma raiz indo-européia, com o significado de "brilhar", que está no latim *dies-deus* e no védico *dyeus*. Como o *Dyaus pita* indiano ou como o Júpiter romano, Zeus *pater*, Zeus pai, prolonga diretamente o grande deus indo-europeu do céu. Contudo, entre o estatuto desse Zeus grego e o dos seus correspondentes na Índia e em Roma, o afastamento é tão manifesto, a distância é tão marcada, que se impõe a constatação, até na comparação entre os deuses de cujo parentesco se tem mais certeza, de um desaparecimento quase completo da tradição indo-européia no sistema religioso grego.

Zeus não figura em nenhum grupamento trifuncional análogo à tríade pré-capitolina Júpiter-Marte-Quirino, na qual a soberania (Júpiter) se articula opondo-se à ação guerreira (Marte) e às funções de fecundidade e prosperidade (Quirino). Ele tampouco se associa, como faz Mitra com Varuna, a uma Potência que traduz, na soberania, ao lado dos aspectos regulares e jurídicos, os valores de violência e de magia. *Ouranós*, o escuro céu noturno, que às vezes alguns foram tentados a aproximar de Varuna, faz dupla no mito com *Gaîa*, a Terra, e não com Zeus.

Como soberano, Zeus encarna, diante da totalidade dos outros deuses, a maior força, o poder supremo: Zeus de um lado, todos os olimpianos reunidos do outro, é ainda Zeus que prevalece. Diante de Cronos e dos deuses Titãs em liga contra ele para disputar o trono, Zeus representa a justiça, a exata repartição das honrarias e das funções, o respeito aos privilégios de que cada um pode se prevalecer, a preocupação com aquilo que é devido mesmo aos mais fracos. Nele e por ele, em sua realeza, a potência e a ordem, a violência e o direito, reconciliados, conjugam-se. Todos os reis vêm de Zeus, dirá Hesíodo, no século VII a.C., não para opor o monarca ao guerreiro e ao camponês, mas para afirmar que entre os homens não existe verdadeiro rei que não se dê por tarefa fazer triunfar a justiça pacificamente. De Zeus vêm os reis, ecoará Calímaco quatro séculos mais tarde; mas o estabelecimento desse parentesco dos reis e da realeza com Zeus não se inscreve num quadro trifuncional; ele vem coroar uma série de enunciados similares, ligando a cada vez uma categoria particular de homens à divindade que a patrocina: os ferreiros a Hefesto, os soldados a Ares, os caçadores a Ártemis, os cantores acompanhados da lira a Febo (Apolo), assim como os reis ao deus-rei[1].

Quando Zeus entra na composição de uma tríade, como faz com Posêidon e Hades, é para delimitar níveis ou domínios cósmicos, mediante partilha: o céu cabe a Zeus, o mar a Posêidon, o mundo subterrâneo a Hades; e a superfície do solo aos três, em comum. Quando ele se associa em dupla a uma deusa, a díade assim formada traduz aspectos diferentes do deus soberano, segundo a divindade feminina que o complementa. Conjugado a Gê, ou Gaîa, a Terra-Mãe, Zeus figura o princípio celeste, masculino e gerador, cuja chuva fecundante criará, nas profundezas do solo, os jovens rebentos da vegetação. Acoplado a Hera, ele patrocina, sob a forma do casamento regular, produtor de uma descendência legítima, a instituição que, "civilizando" a união entre o homem e a

---

1. Calímaco, *Hinos*, I, "A Zeus", v. 76-9.

mulher, serve de fundamento a toda a organização social e cujo modelo exemplar é fornecido pelo casal formado pelo rei e pela rainha. Associado a Métis, sua primeira esposa, que ele devora para assimilá-la inteira, Zeus rei identifica-se com a inteligência ardilosa, a astúcia tortuosa de que necessita para conquistar e conservar o poder, para assegurar a perenidade de seu reinado e proteger seu trono das ciladas, das surpresas, das armadilhas que o futuro ameaçaria reservar-lhe se ele nem sempre estivesse preparado para adivinhar o imprevisto e desviar antecipadamente os perigos deste. Ao casar-se em segundas núpcias com Têmis, Zeus fixa para sempre a ordem das estações na natureza, o equilíbrio dos grupos humanos na cidade (*Hórai*) e o curso inelutável dos Destinos individuais *(Moírai)*. Ele se faz lei cósmica, harmonia social e Destino.

Pai dos deuses e dos homens, como já o designa a *Ilíada* – não porque tenha gerado ou criado todos os seres, mas porque exerce sobre cada um deles uma autoridade tão absoluta quanto a do chefe de família sobre sua gente –, Zeus divide com Apolo a qualificação de *Patrós*, o antepassado; ao lado de Atena *Apatúria*, assegura como *Frátrios* a integração dos indivíduos nos diversos grupos que compõem a comunidade cívica; nas cidades da Jônia, faz de todos os cidadãos autênticos irmãos, celebrando, no seio de suas respectivas fratrias como numa mesma família, a festa das *Apatúrias*, isto é, daqueles que se reconhecem filhos de um mesmo pai. Em Atenas, reunido a Atena *Poliás*, Zeus é *Polieús*, patrono da cidade. Senhor e fiador da vida política, ele faz dupla com a deusa cuja função, como potência tutelar de Atenas, é mais precisa e, poderíamos dizer, mais localizada. Atena vela sobre *sua* aglomeração, como cidade específica, naquilo que a distingue dos outros Estados gregos. A deusa "favorece" Atenas concedendo-lhe, de preferência a qualquer outra, o duplo privilégio da concórdia interna e da vitória externa.

Celeste, detentor judicioso do poder supremo, fundador da ordem, fiador da justiça, senhor do casamento, pai e antepassado, patrono da cidade, o quadro da realeza de Zeus comporta ainda outras dimensões. Sua autoridade é tanto política quanto doméstica. Em estreita conivência com Héstia, Zeus tem o controle tanto sobre a lareira privada de cada casa – no centro fixo que constitui como que o umbigo no qual se enraíza a morada familiar – quanto sobre a Lareira comum da cidade, no seio da aglomeração, na *Hestía Koiné* onde velam os magistrados prítanes. Zeus *Herkeîos*, Zeus da clausura, fecha o território do domínio onde se exerce a justo título o poder do chefe de família; Zeus *Klários*, loteador, delimita e fixa as fronteiras desse domínio, deixando a Apolo *Aigieús* e a Hermes o cuidado de proteger as portas e controlar os acessos. Zeus *Hikésios*, Zeus *Xénios*, recebe o suplicante e o hóspede, dá-lhes acesso à casa que lhes é estranha e assegura a salvaguarda deles acolhendo-os no altar doméstico sem com isso assimilá-los inteiramente aos membros da família. Zeus *Ctésio*, Zeus da posse, vela como guardião das riquezas sobre os bens do dono da casa. Como olimpiano e celeste, Zeus opunha-se a Hades; contudo, como *Ctésio*, é no fundo do celeiro que ele estabelece seu altar, para tomar ali o aspecto de uma serpente, animal ctoniano por excelência. Desse modo, o soberano pode integrar a si a parte ctoniana do universo da qual normalmente as Potências subterrâneas se encarregam, mas que ele mesmo pode vir a expressar por uma espécie de tensão, de polaridade interna, ou mesmo de desdobramento. Ao Zeus celeste, sediado no alto do éter brilhante, corresponde em contraponto um Zeus *Chthónios*, *Katachthónios*, *Meilíchios*, um Zeus de baixo, escuro e subterrâneo, presente nas profundezas da terra onde faz amadurecerem, perto dos mortos, ora as riquezas, ora as vinganças prestes a vir à luz, se ele o consentir, sob a condução de Hermes ctoniano.

O céu, a terra – de um à outra Zeus se faz traço-de-união por meio da chuva (Zeus *Ómbrios*, *Hyétios*, *Ikmaîos*, chuvoso, úmido), dos ventos (Zeus *Oúrios*, *Euánemos*, ventoso, de bons ventos), do raio (Zeus *Astrapaîos*, *Brontaîos*, *Keraúnios*, fulminante, trovejante). Entre o alto e o baixo, ele assegura a comunicação de outro modo ainda: pelos sinais e pelos oráculos que transmitem aos mortais nesta terra as mensagens que os deuses celestes lhes enviam. O oráculo de Dodona, o mais antigo que os gregos dizem ter existido entre eles, era um oráculo de Zeus. Ele havia estabelecido seu santuário no lugar onde brotara um grande carvalho que lhe pertencia e que se elevava em linha reta para o céu, como uma coluna erguida até o ponto mais alto. O sussurro das folhas que a ramagem dessa árvore sagrada fazia ouvir acima da cabeça dos consulentes, no ar, fornecia-lhes as respostas às perguntas que eles vinham fazer ao soberano do céu. Aliás, quando pronuncia seus oráculos no santuário de Delfos, Apolo não fala tanto por si mesmo quanto em nome do seu pai, a quem permanece associado e como que submetido em sua função oracular. Apolo é profeta, mas profeta de Zeus; faz apenas dar uma voz à vontade do olimpiano, aos seus decretos, a fim de que, no umbigo do mundo, a palavra do Rei e do Pai ressoe aos ouvidos de quem a souber escutar. Os diferentes qualificativos de Zeus, por mais amplo que seja seu leque, não são incompatíveis. Situam-se num mesmo campo cujas múltiplas dimensões eles sublinham. Tomados em seu conjunto, desenham os contornos da soberania divina tal como os gregos a concebiam; balizam suas fronteiras, cercam seus domínios constitutivos; marcam os aspectos variados que a Potência do deus-rei pode revestir, as modalidades diversas do seu exercício, em ligação menos ou mais estreita, segundo os casos, com outras divindades.

Mortais e imortais

O mesmo não se dá com o Zeus cretense, o *Kretagénes*, *Diktaîos* ou *Idaîos*, o deus-menino cujas Infâncias eram associadas aos Curetes, às suas danças e aos seus ritos orgiásticos, ao fragor do choque entre suas armas. Desse Zeus, cujo nascimento era situado em Creta, contava-se também a morte e mostrava-se seu túmulo na ilha. Mas o Zeus grego, embora apresente muitas facetas, não pode ter nada em comum com um deus que morre. No *Hino* que consagra ao deus "sempre grande, sempre rei", Calímaco rejeita firmemente, como estranha ao seu deus, a tradição dessas narrativas. O verdadeiro Zeus não nasceu em Creta, como contam os cretenses, esses mentirosos. "Eles chegaram até a construir-te um túmulo, oh Rei; mas não, tu não morreste jamais; tu És pela eternidade."

Aos olhos dos gregos, a imortalidade, que traça entre homens e deuses uma fronteira rigorosa, é um traço demasiadamente fundamental do divino para que o senhor do Olimpo possa ser assimilado de algum modo a uma daquelas divindades orientais que morrem e renascem. O arcabouço do sistema religioso indo-europeu ao qual remete o nome de Zeus pode até ter desabado, no decorrer do segundo milênio, entre os homens que, falantes de um dialeto grego, vieram em ondas sucessivas instalar-se em terras da Hélade e cuja presença é atestada até em Creta, em Cnossos, já no fim do século XV a.C. Os contatos, as misturas, o intercâmbio foram numerosos e contínuos; empréstimos foram tomados ao fundo religioso egeu e minoano, assim como acontece, à medida que progride a expansão grega no Mediterrâneo, em relação aos cultos orientais e tracofrígios. Contudo, é inegável que, entre os séculos XIV e XII, os deuses reverenciados pelos aqueus – e cujos nomes figuram nas tabuinhas em escrita linear B de Cnossos e de Pylos – são em sua maioria os mesmos que encontramos no panteão grego clássico e que os helenos, em seu conjunto, reconhecerão como seus: Zeus, Posêidon, Eniálio (Ares), Paiawon (Peã = Apolo), Dioniso, Hera, Atena, Ártemis, as Duas Rainhas (*Wanasso*), ou seja, Deméter e Corê. O mundo religioso dos invasores indo-europeus da Grécia pode até ter se modificado e aberto a influências estrangeiras; assimilando-as, ele manteve sua especificidade e, com seus deuses próprios, seus traços distintivos. Dessa religião micênica à da época de Homero, durante os séculos obscuros que se seguem à queda ou ao declínio dos reinos aqueus após o século XII, a continuidade não é marcada apenas pela manutenção do nome dos deuses e dos locais de culto. A comunidade de certas festas celebradas pelos jônios numa e noutra margens do Mediterrâneo prova que elas já deviam acontecer no século XI, quando se inicia a primeira onda de colonização de que Atenas, único sítio miceniano a permanecer intacto, teria sido o ponto de partida, e que instalou grupos de emigrados no litoral da Ásia Menor para ali fundar cidades gregas.

Essa permanência, contudo, não deve iludir. Assim como o mundo dos poemas homéricos não é o dos reis micenianos cujas proezas o aedo, com uma defasagem de quatro séculos, pretende evocar, o universo religioso de Homero não é dos tempos passados. De uns a outros, uma série de mudanças e de inovações introduziu, por trás das aparentes continuidades, uma verdadeira ruptura que o texto da epopéia apaga mas cuja amplitude as pesquisas arqueológicas, após a leitura das tabuinhas micenianas, nos permitem medir.

A RELIGIÃO CÍVICA

Entre os séculos XI e VIII, no período em que se implantam mudanças técnicas, econômicas e demográficas que conduzem à "revolução estrutural" de que fala o arqueólogo inglês A. Snodgrass e da qual se originou a cidade-Estado, o próprio sistema religioso é profundamente reorganizado em estreita conexão com as formas novas de vida social representadas pela cidade, a *pólis*. No quadro de uma religião que, doravante, é essencialmente cívica, crenças e cultos, remodelados, satisfazem uma exigência dupla e complementar. Primeiro, respondem ao particularismo de cada grupo humano que, como Cidade ligada a um território definido, se coloca sob o patrocínio de deuses que lhe são próprios e que lhe conferem sua fisionomia religiosa singular. De fato, toda cidade tem sua ou suas divindades políades cuja função é cimentar o corpo dos cidadãos para fazer dele uma comunidade autêntica, unir num todo único o conjunto do espaço cívico, com seu centro urbano e sua *chôra*, sua zona rural, velar, enfim, pela integridade do Estado – homens e território – diante das outras cidades. Mas, em segundo lugar, trata-se também, pelo desenvolvimento de uma literatura épica desligada de qualquer raiz local, pela edificação de grandes santuários comuns, pela instituição dos Jogos e das panegírias pan-helênicas, de instaurar ou de fortalecer no plano religioso tradições lendárias, ciclos de festas e um panteão igualmente reconhecidos por toda a Hélade.

Conquanto não queiramos fazer o balanço das inovações religiosas trazidas pela época arcaica, devemos pelo menos assinalar as mais importantes. Primeiro, o aparecimento do templo como construção independente do *habitat* humano, palácio real ou casa particular. Com seu recinto a delimitar uma área sagrada (*témenos*), com seu altar exterior, o templo constitui desde então um edifício separado do espaço profano. O deus vem residir permanentemente no lugar por intermédio de sua grande estátua cultual antropomorfa ali instalada para ficar. Contrariamente aos altares domésticos, aos santuários privados, essa "casa do deus" é coisa pública, bem comum a todos os cidadãos. Consagrado à divindade, o templo pode pertencer somente à mesma cidade que o erigiu em local preciso a fim de marcar e confirmar sua posse legítima sobre um território:

no centro urbano, acrópole ou ágora; às portas dos muros que circundam a aglomeração ou em sua periferia próxima; na zona do *agrós* e das *eschatíai*, das terras selvagens e dos confins, que separa cada cidade grega dos seus vizinhos. A edificação de uma rede de santuários urbanos, sub- e extra-urbanos, balizando o espaço com lugares sagrados, fixando, do centro até a periferia, o percurso de procissões rituais, mobilizando em data fixa, na ida e na volta, toda a população ou parte dela, visa a modelar a superfície do solo segundo uma ordem religiosa. Pela mediação de seus deuses políades instalados nos respectivos templos, a comunidade estabelece entre homens e território uma espécie de simbiose, como se os cidadãos fossem filhos de uma terra da qual teriam surgido originariamente sob a forma de autóctones e que, por essa ligação íntima com aqueles que a habitam, se vê ela mesma promovida ao nível de "terra de cidade". Assim se explica a aspereza dos conflitos que, entre os séculos VIII e VI, opuseram cidades vizinhas na disputa pela apropriação dos locais de culto fronteiriços, às vezes comuns aos dois Estados. A ocupação do santuário e sua vinculação cultual ao centro urbano têm valor de posse legítimo. Ao fundar seus templos, a *pólis*, para garantir uma solidez inabalável à sua base territorial, implanta raízes até no mundo divino.

Sobre os deuses e os heróis

Outra novidade, cuja significação é em parte análoga, marcará profundamente o sistema religioso. Durante o século VIII, desenvolve-se rapidamente o costume de reaproveitar construções micenianas, funerárias em sua maioria, que estavam em desuso havia séculos. Reformadas, elas servem de locais de culto para homenagens fúnebres prestadas a personagens lendários, quase sempre sem relação com esses edifícios, mas invocados por linhagens, *gené* nobiliários ou grupos de fráteres. Esses ancestrais míticos, que, como os heróis da epopéia de que trazem o nome, pertencem a um passado longínquo, a um tempo diferente do presente, vão constituir desde então uma categoria de Potências sobrenaturais distintas tanto dos *theoí*, dos deuses propriamente ditos, quanto dos mortos comuns. Mais do que o culto dos deuses, mesmo os políades, o culto dos heróis tem um valor ao mesmo tempo cívico e territorial; está associado a um local preciso, um túmulo com a presença subterrânea do defunto, cujos restos foram às vezes buscados em regiões distantes para serem reconduzidos ao seu lugar. Túmulos e cultos heróicos, através do prestígio do personagem homenageado, exercem para uma comunidade o papel de símbolo glorioso e de talismã, cuja localização às vezes é mantida secreta porque de sua salvaguarda depende a salvação do Estado. Instalados no coração da cidade, em plena ágora, eles corporificam a lembrança do fundador mais ou menos lendário, herói arcageta e, no caso de uma colônia, ecista, ou patrocinam as diversas componentes do corpo cívico: tribos, fratrias e demos. Disseminados por diversos pontos do território, consagram as afinidades particulares unindo os membros de setores rurais e de aldeias, de *kômai*. Em todos os casos, sua função é reunir um grupo em torno de um culto cuja exclusividade ele detém e que aparece estritamente implantado num ponto preciso do solo.

A difusão do culto heróico não responde apenas às novas necessidades sociais que surgem com a cidade. A adoração dos heróis tem uma significação propriamente religiosa. Por seu duplo distanciamento, de um lado em relação ao culto divino, obrigatório para todos e de caráter permanente, e de outro em relação aos ritos funerários, reservados ao círculo estreito dos parentes e de duração limitada, a instituição heróica repercute no equilíbrio geral do sistema cultual. Entre os deuses, que são os beneficiários do culto, e os homens, que são seus servos, existe para os gregos uma oposição radical. Os primeiros são estranhos ao falecimento, que define a condição de existência dos segundos. Os deuses são os *athánatoi*, os Imortais; os homens, os *brótoi*, os perecíveis, fadados às doenças, à velhice e à morte. Assim, as homenagens fúnebres prestadas aos falecidos situam-se num plano diferente daquele dos sacrifícios e da devoção exigidos pelos deuses como sua parte de honra, o privilégio que lhes é reservado. As fitas que ornam o túmulo, as oferendas de bolos aos mortos, as libações de água, de leite, de mel ou de vinho devem ser renovadas no terceiro, no nono e no trigésimo dia após o cerimonial das exéquias, e mais tarde a cada ano, durante a festa dos *genésia*, dos antepassados, no mês Boedromion (setembro); porém, mais do que um ato de veneração diante de Potências superiores, elas aparecem como o prolongamento temporário do cerimonial dos funerais e das práticas de luto: trata-se, ao abrir para o defunto as portas do Hades, de fazê-lo desaparecer para sempre deste mundo, onde ele já não tem seu lugar. Contudo, graças aos diversos procedimentos de comemoração (desde a estela, com epitáfio e figura do morto, até os presentes depositados sobre a tumba), esse vazio, esse não-ser do morto, pode revestir a forma de uma presença na memória dos sobreviventes. Sem dúvida, uma presença ambígua, paradoxal, como pode ser a de um ausente, relegado ao reino das sombras, e cujo ser, doravante, se reduz totalmente a esse estatuto social de morto que o ritual funerário o fez adquirir mas que também está fadado a desaparecer, tragado pelo esquecimento, à medida que se renova o ciclo das gerações.

Os semideuses

O caso dos heróis é totalmente diverso. É certo que eles pertencem à espécie dos homens e, como tais, conheceram os sofrimentos e a morte. Mas, por toda uma série de traços, distinguem-se, até na morte, da multidão dos defuntos comuns. Viveram numa época que constitui, para os gregos, o "antigo tempo" já acabado e no qual os homens eram diferentes daquilo que são hoje: maiores, mais fortes, mais belos. Quando se parte em busca da ossada de um herói, é possível reconhecê-la pelo seu tamanho gigantesco. Essa é a raça de homens, agora extinta, cujas proezas são cantadas pela poesia épica. Celebrados pelos aedos, os nomes dos heróis, contrariamente aos dos outros mortos, que se fundem sob a terra na massa indistinta e esquecida dos *nónymnoi*, dos "sem-nome", permanecem vivos para sempre, radiantes de glória, na memória de todos os gregos. A raça dos heróis forma o passado lendário da Grécia das cidades, as raízes às quais se ligam as famílias, os grupos, as comunidades dos helenos. Mesmo sendo homens, sob vários pontos de vista esses ancestrais aparecem mais próximos dos deuses, menos separados do divino do que a humanidade atual. Nesse tempo passado, os deuses ainda se misturavam de bom grado aos mortais, convidavam-se para a casa destes, comiam às suas mesas em refeições comuns, insinuavam-se até mesmo às suas camas para unir-se a eles e, no cruzamento das duas raças, a perecível e a imortal, gerar belos filhos. Os personagens heróicos cujos nomes sobreviveram e cujo culto era celebrado em seus túmulos apresentam-se muito freqüentemente como o fruto desses encontros amorosos entre divindades e humanos dos dois sexos. Como diz Hesíodo, eles formam "a raça divina dos heróis que são denominados semideuses (*hemitheoí*)". Se o nascimento às vezes lhes atribui uma ascendência semidivina, a morte também os coloca acima da condição humana. Em vez de descerem às trevas do Hades, eles são, graças ao divino, "arrebatados", transportados, alguns ainda vivos, a maioria após a morte, para um lugar especial, afastado, para as ilhas dos Bem-Aventurados, onde continuam a gozar, em permanente felicidade, de uma vida comparável à dos deuses.

Sem preencher a intransponível distância que separa os humanos dos deuses, o estatuto heróico, desse modo, parece abrir a perspectiva da promoção de um mortal a um estatuto, se não divino, pelo menos próximo do divino. Mas, durante todo o período clássico, essa possibilidade permanece rigorosamente confinada num estreito setor. Ela é contrariada, para não dizer repelida, pelo próprio sistema religioso. De fato, a piedade, como a sabedoria, ordena não pretender igualar-se a um deus. Os preceitos de Delfos: "Sabe quem tu és", "Conhece-te a ti mesmo" não têm outro sentido. O homem deve aceitar seus limites. Portanto, afora as grandes figuras lendárias como Aquiles, Teseu, Orestes ou Héracles, a heroicização se restringirá aos primeiros fundadores de colônias ou a personagens que adquiriram, aos olhos de uma cidade, um valor simbólico exemplar, como Lisandro em Samos ou Timoleonte em Siracusa. Os casos de heroicização que conhecemos na época clássica são extremamente raros. Jamais concernem a um personagem ainda vivo, mas a um morto que aparece, tardiamente, como portador de um *númen*, de uma temível potência sacra, ou por suas particularidades físicas extraordinárias – tamanho, força, beleza –, ou pelas próprias circunstâncias de sua morte, se ele tiver sido fulminado por um raio ou desaparecido sem deixar vestígios, ou ainda pelos malefícios atribuídos ao seu fantasma, a quem se mostra então necessário apaziguar. Um único exemplo: em pleno século V, o pugilista Cleomedes de Astipaléia, dotado de uma força excepcional, mata seu adversário durante o combate; privado do prêmio por decisão dos juízes, volta para casa enlouquecido de furor. Numa escola, agarra-se ao pilar que sustenta o teto; este desaba sobre as crianças. Perseguido pela multidão, que quer apedrejá-lo, esconde-se no santuário de Atena, dentro de uma arca cuja tampa ele fecha sobre si. Finalmente, conseguem arrombá-la. A arca está vazia. Nada de Cleomedes, nem vivo nem morto. Consultada, a Pítia recomenda instituir um culto heróico em homenagem a esse pugilista, colocado acima do comum por sua força, sua fúria, seus malefícios, sua morte: é preciso sacrificar-se a ele "como já não sendo um mortal". Mas o oráculo assinala sua reserva ao proclamar ao mesmo tempo, como relata Pausânias, que Cleomedes é "o último herói".

Não nos enganemos. Não importa que os heróis constituam, através das honrarias que lhes são prestadas, uma categoria de seres sobre-humanos: seu papel, seu poder, os domínios nos quais eles intervêm não interferem com os dos deuses. Eles se situam em outro plano e jamais exercem, da terra para o céu, um papel de intermediários. Os heróis não fazem as vezes de intercessores. São Potências "indígenas" ligadas àquele ponto do solo onde têm sua morada subterrânea; sua eficácia adere à tumba e à ossada de cada um. Existem heróis anônimos, designados apenas pelo nome do lugar onde foi estabelecido seu túmulo; é o caso do herói de Maratona. Esse caráter local é paralelo a uma rigorosa especialização. Muitos heróis não têm outra realidade além da estrita função à qual se destinam e que os define inteiramente. Em Olímpia, na curva da pista, havia uma tumba sobre a qual os concorrentes ofereciam sacrifícios: a do herói Taraxipo, o Espanta-Cavalos. De igual modo, encontram-se heróis médicos, guarda-portões, cozinheiros, enxota-moscas, um herói da refeição, da fava, do açafrão, um herói para misturar a água e o vinho ou para moer o grão.

Se a cidade pôde reunir numa mesma categoria cultual as figuras bem individualizadas dos heróis de antanho cuja biografia lendária a epopéia havia fixado, dos contemporâneos notáveis, dos defuntos anônimos dos quais só restava o monumento funerário, das espécies de demônios funcionais, é que, dentro de seus túmulos, eles manifestavam os mesmos conluios com as potências subterrâneas, compartilhavam o mesmo caráter de localização territorial e podiam ser igualmente utilizados como símbolos políticos. Instituído pela cidade nascente, ligado ao território desta, que ele protege, aos grupos de cidadãos, que ele patrocina, o culto dos heróis não desembocará, na época helenística, na divinização de personagens humanos nem no estabelecimento de um culto dos soberanos: esses fenômenos se ligam a uma mentalidade religiosa diferente. Solidário à cidade, o culto heróico declinará junto com ela.

Seu advento, contudo, não terá sido sem conseqüências. Por sua novidade, o culto heróico levou a um esforço de definição e de categorização mais estritas das diversas potências sobrenaturais. Hesíodo, no século VII, foi o primeiro a distinguir de modo claro e nítido, como notará Plutarco, as diferentes classes de seres divinos repartidos entre quatro grupos: deuses, demônios, heróis, mortos. Retomada pelos pitagóricos e por Platão, essa nomenclatura das divindades às quais os homens devem veneração aparece com bastante freqüência, no século IV, para figurar nas perguntas que os consulentes dirigem ao oráculo de Dodona. Numa das inscrições ali encontradas, certo Euandros e sua mulher interrogam o oráculo para saber "a qual dos deuses, ou dos heróis, ou dos demônios" eles devem sacrificar-se e dirigir suas preces.

DOS HOMENS AOS DEUSES: O SACRIFÍCIO

Para orientar-se em sua prática cultual, portanto, o fiel deve levar em conta a ordem hierárquica que preside à sociedade do além. No topo, os *theoí*, os deuses, grandes e pequenos, que formam a raça dos Bem-Aventurados Imortais. Agrupados sob a autoridade de Zeus, eles são os olimpianos. Portanto, divindades celestes, em princípio, embora alguns deles, como Posêidon e Deméter, comportem aspectos ctonianos. Existe, é claro, um deus do mundo subterrâneo, Hades, mas ele é precisamente o único a não ter nem templo nem culto. Os deuses são tornados presentes neste mundo em espaços que lhes pertencem: primeiro, os templos onde residem, mas também os locais e os objetos que lhes são consagrados e que, especificados como *hierá*, sagrados, podem ser alvo de interdições: bosque (*álsos*), bosquete, fonte, cimo de um monte, terreno delimitado por uma cerca ou por marcos (*témenos*), encruzilhada, árvore, pedra, obelisco. O templo, morada reservada ao deus como seu domicílio, não serve de local de culto onde os fiéis se reuniriam para celebrar os ritos. É o altar exterior, o *bomós*, bloco de alvenaria quadrangular, que preenche essa função: em torno dele e sobre ele cumpre-se o rito central da religião grega cuja análise se impõe em primeiro lugar, a saber, o sacrifício, a *thysia*. Normalmente, trata-se de um sacrifício cruento de tipo alimentar: um animal doméstico, enfeitado, coroado, ornado de fitas, é levado em cortejo ao som das flautas até o altar, aspergido com água lustral e com um punhado de grãos de cevada que também são lançados sobre o solo, o altar e os participantes, também eles portadores de coroas. A cabeça da vítima é então levantada; cortam-lhe a garganta com um golpe de *máchaira*, uma espada curta dissimulada sob os grãos no *kaneoŷn*, o cesto ritual. O sangue que jorra sobre o altar é recolhido num recipiente. O animal é aberto; extraem-se suas vísceras, especialmente o fígado, que são examinadas para que se saiba se os deuses aprovam o sacrifício. Nesse caso, a vítima é logo retalhada. Os ossos longos, inteiramente descarnados, são postos sobre o altar. Envoltos em gordura, são consumidos pelas chamas com aromatizantes e, sob a forma de fumaça perfumada, elevam-se para o céu, em direção aos deuses. Alguns pedaços internos, os *splágchna*, enfiados em espetos, são grelhados sobre o altar, no mesmo fogo que envia à divindade a parte que lhe cabe, estabelecendo assim o contato entre a Potência sagrada destinatária do sacrifício e os executantes do rito, aos quais essas carnes grelhadas estão reservadas. O resto da carne, fervido em caldeirões e depois cortado em porções iguais, é às vezes consumido no local, às vezes levado para casa pelos participantes, e outras distribuído fora, no âmbito de uma comunidade menos ou mais ampla. Certas partes de honra, como a língua ou o couro, cabem ao sacerdote que presidiu à cerimônia, mesmo que sua presença não seja indispensável. Em princípio, todo cidadão, se não tiver nenhuma mácula, está plenamente qualificado para proceder ao sacrifício. Tal é o modelo corrente, cujo alcance religioso será necessário definir, distinguindo suas implicações teológicas. Mas alguns esclarecimentos são desde já indispensáveis para nuançar esse quadro.

Certas divindades e certos rituais, como o de Apolo Genetor em Delfos e o de Zeus Hypatos na Ática, exigem, em vez do sacrifício cruento, oblações vegetais: frutos, ramos, sementes, mingau (*pelanós*), bolos, aspergidos com água, leite, mel ou azeite, excluindo-se o sangue e mesmo o vinho. Há casos em que oferendas desse tipo, quase sempre consumidas no fogo, mas às vezes simplesmente depositadas sobre o altar sem serem queimadas (*ápyra*), assumem um caráter de nítida oposição à prática corrente. Considerados como sacrifícios "puros", contrariamente àqueles que implicam a execução de um ser vivo, servirão de modelo a correntes sectárias. Órficos e pitagóricos os invocarão para pregar, em seu modo de vida, um comportamento ritual e uma atitude perante o divino que, rejeitando como ímpio o sacrifício cruento, irão distinguir-se do culto oficial e parecerão estranhos à religião cívica.

Por outro lado, o próprio sacrifício cruento comporta duas formas diferentes, conforme se dirija a deuses celestes e olimpianos ou a deuses ctonianos e infernais. A língua já os distingue; os gregos empregam, para os primeiros, o termo *thyeîn* e, para os segundos, *enagizeîn* ou *sphatteîn*.

A *thysia*, como vimos, tem por centro um altar elevado, o *bomós*. O sacrifício ctoniano não comporta altar, a não ser um altar baixo, *eschára*, com um orifício para que o sangue escoe para dentro da terra. É celebrado normalmente à noite, sobre uma cova (*bóthros*) que abre o caminho para o mundo infernal. O animal é imolado, já não com a cabeça puxada para o alto, mas abaixada em direção à terra que o sangue vai inundar. Uma vez degolada, a vítima já não é alvo de nenhuma manipulação ritual: oferecida em holocausto, é inteiramente queimada sem que os celebrantes sejam autorizados a tocá-la e sobretudo a comer dela. Nesse tipo de rito, em que a oferenda é aniquilada para ser entregue em sua totalidade ao além, trata-se menos de estabelecer com a divindade um intercâmbio regular, dentro da confiança recíproca, que de afastar forças sinistras, de pacificar uma Potência temível cuja abordagem, para não ser nefasta, exige defesa e precaução. Ritual de aversão, poderíamos dizer, mais que de aproximação, de contato. É compreensível que seu uso seja essencialmente reservado ao culto das divindades ctonianas e infernais, aos ritos expiatórios, aos sacrifícios oferecidos aos heróis e aos mortos, no fundo de seus túmulos.

Repasto de festa

No sacrifício olimpiano, a orientação voltada para as divindades celestes não é marcada somente pela luz do dia, pela presença do altar, pelo sangue que jorra para o alto por ocasião da degola. Um traço fundamental desse ritual é ser ele, indissociavelmente, uma oferenda para os deuses e um repasto de festa para os homens. O ponto culminante da ação é sem dúvida o instante, pontuado pelo grito ritual, o *ololygmós*, em que a vida abandona o animal e passa para o além, para a companhia dos deuses; mas isso não impede que todas as partes dele, cuidadosamente recolhidas e tratadas, sejam destinadas aos homens, que as consomem juntos. A própria imolação se produz numa atmosfera de cerimônia faustosa e alegre. Toda a encenação ritual, desde a procissão em que o animal, em grande pompa, é conduzido livremente, sem amarras, até a dissimulação do cutelo dentro do cesto e o estremecimento pelo qual a vítima, aspergida, supostamente concorda com a imolação, tudo visa a apagar os vestígios da violência e da execução para colocar em primeiro plano o aspecto de solenidade pacífica e de festa jubilosa. Acrescentemos que, na economia da *thysia*, os procedimentos de retalhamento da vítima, de cozimento dos pedaços, grelhados ou fervidos, de sua repartição determinada em fatias iguais, de seu consumo no local ou fora dele (*apophorá*) não são menos importantes que as operações rituais de abate. Essa função alimentar do rito exprime-se num vocabulário em que sacrifício e açougue não se distinguem. O termo *hiereión*, que designa um animal como vítima sacrificial, qualifica-o também como animal de corte, próprio para o consumo. Como os gregos só comem carne por ocasião dos sacrifícios e conforme as regras sacrificiais, a *thysia* é, simultaneamente, um cerimonial religioso em que uma piedosa oferenda, com freqüência acompanhada de oração, é endereçada aos deuses; uma cozinha ritualizada segundo as normas alimentares que os deuses exigem dos humanos; e um ato de comunhão social que, pelo consumo das partes de uma mesma vítima, reforça os vínculos que devem unir os cidadãos e torná-los iguais entre si.

Peça central do culto e elemento cuja presença é indispensável em todos os níveis da vida coletiva, na família e no Estado, o sacrifício ilustra a estreita imbricação entre o religioso e o social na Grécia das cidades. Sua função não é arrancar o sacrificante e os participantes, pelo tempo que durar o rito, aos seus grupos familiares e cívicos, às suas atividades corriqueiras, ao mundo humano que é o deles, mas, ao contrário, instalá-los nessas situações, no local e nas formas exigidas, integrá-los à cidade e à existência deste mundo segundo a ordem do mundo à qual os deuses presidem. Religião "intramundana", no sentido de Max Weber, religião "política", na acepção grega do termo. Nela, o sagrado e o profano não formam duas categorias radicalmente contrárias, excludentes uma da outra. Entre o sagrado inteiramente proibido e o sagrado plenamente utilizável, encontra-se uma multiplicidade de formas e de graus. Além das realidades que são dedicadas a um deus, reservadas ao seu uso, há algo de sagrado nos objetos, nos seres vivos, nos fenômenos da natureza, assim como nos atos corriqueiros da vida privada – uma refeição, uma partida em viagem, a acolhida a um hóspede – e naqueles, mais solenes, da vida pública. Todo pai de família assume em sua residência funções religiosas para as quais está qualificado sem preparação especial. Qualquer dono de casa é puro, se não tiver cometido um erro que o deixe maculado. Nesse sentido, a pureza não tem de ser adquirida ou obtida; ela constitui o estado normal do cidadão. Na cidade, não existe separação entre sacerdócio e magistratura. Há sacerdócios que são atribuídos por direito e ocupados como magistraturas, e todo magistrado, em suas funções, reveste-se de um caráter sagrado. Todo poder político, para ser exercido, toda decisão comum, para ser válida, exigem a prática de um sacrifício. Na guerra ou na paz, antes de travar batalha ou na abertura de uma assembléia, ou ainda na posse dos magistrados, a execução de um sacrifício não é menos necessária que durante as grandes festas religiosas do calendário sacro. Como lembra com justeza Marcel Detienne em *La Cuisine du sacrifice en pays grec* [A cozinha do sacrifício em terra grega]: "Até uma época tardia, uma cidade como Atenas conserva em exercício um arconte rei do qual uma das maiores atribuições é a administração de todos os sacrifícios instituídos pelos antepassados, do conjunto dos gestos rituais que garantem o funcionamento harmonioso da sociedade."[1]

Se a *thysia* se revela tão indispensável para assegurar às práticas sociais sua validade, é que o fogo sacrificial, ao fazer subir para o céu a fumaça dos perfumes, da gordura e dos ossos, cozinhando ao mesmo tempo a parte dos homens, abre entre os deuses e os participantes do rito uma via de comunicação. Ao imolar uma vítima, ao queimar-lhe os ossos, ao comer a carne dela segundo as regras rituais, o ho-

---

1. Volume coletivo, sob a direção de M. Detienne e J.-P. Vernant, Paris, 1979, p. 10.

mem grego institui e mantém com a divindade um contato sem o qual sua existência, abandonada a si mesma, desmoronaria, vazia de sentido. Esse contato não é uma comunhão: não se come o deus, mesmo sob forma simbólica, para identificar-se com ele e participar de sua força. Consome-se uma vítima animal, um bicho doméstico, e come-se dele uma parte diferente da que é oferecida aos deuses. O vínculo que o sacrifício grego estabelece sublinha e confirma, na própria comunicação, a extrema distância que separa mortais e imortais.

Os ardis de Prometeu

Quanto a isso, os mitos de fundação do sacrifício são muito precisos. Esclarecem plenamente as significações teológicas do ritual. O Titã Prometeu, filho de Jápeto, é quem teria instituído o primeiro sacrifício, fixando assim para sempre o modelo ao qual os humanos se adaptam para honrar os deuses. O episódio se passa num tempo em que deuses e homens ainda não estavam separados: viviam juntos, festejando às mesmas mesas, compartilhando a mesma felicidade, longe de todos os males. Os humanos desconheciam então a necessidade do trabalho, as doenças, a velhice, as fadigas, a morte e a espécie das mulheres. Tendo Zeus sido promovido a rei do céu e procedido, entre deuses, a uma justa repartição das honrarias e das funções, chegou o momento de fazer o mesmo entre homens e deuses e de delimitar exatamente o tipo de vida próprio a cada uma das duas raças. Prometeu é encarregado da operação. Diante de deuses e homens reunidos, ele traz, abate e retalha um enorme boi. De todos os pedaços cortados, faz duas partes. A fronteira que deve separar deuses e homens segue, portanto, a linha de partilha entre aquilo que, no animal imolado, cabe a uns e a outros. O sacrifício aparece assim como o ato que consagrou, efetuando-a pela primeira vez, a segregação dos estatutos divino e humano. Mas Prometeu, em rebelião contra o rei dos deuses, quer enganá-lo em proveito dos homens. Cada uma das duas partes preparadas pelo Titã é um ardil, uma armadilha. A primeira, sob a camuflagem de um pouco de gordura apetitosa, só contém os ossos descarnados; a segunda esconde, sob o couro e o estômago, de aspecto repulsivo, tudo o que há de comestível no animal. O seu ao seu dono: cabe a Zeus, em nome dos deuses, escolher primeiro. Ele, porém, compreende a armadilha e finge cair nela para melhor requintar sua vingança. Então, escolhe a porção externamente tentadora, a que dissimula, sob uma fina camada de gordura, os ossos incomíveis. Essa é a razão pela qual, nos altares odoríferos do sacrifício, os homens queimam para os deuses os ossos brancos da vítima cujas carnes vão partilhar. Guardam para si a porção que Zeus não reteve: a da vianda. Prometeu imaginava que, destinando-a aos humanos, reservava-lhes a melhor parte. Porém, por mais esperto que fosse, não desconfiava de que estava dando a eles um presente envenenado. Ao comerem a carne, os humanos assinam sua sentença de morte. Dominados pela lei do ventre, doravante irão comportar-se como todos os animais que povoam a terra, as ondas ou o ar. Se eles se comprazem em devorar a carne de um bicho a quem a vida abandonou, se têm uma imperiosa necessidade de alimento, é que sua fome jamais mitigada, sempre renascente, é a marca de uma criatura cujas forças pouco a pouco se desgastam e se esgotam, uma criatura condenada à fadiga, ao envelhecimento e à morte. Contentando-se com a fumaça dos ossos, vivendo de odores e de perfumes, os deuses demonstram pertencer a uma raça cuja natureza é inteiramente diferente da dos homens. Eles são os Imortais, sempre vivos, eternamente jovens, cujo ser não comporta nada de perecível, e que não têm nenhum contato com o domínio do corruptível.

Mas Zeus, em sua cólera, não limita sua vingança a isso. Antes mesmo de se produzir, de terra e água, a primeira mulher, Pandora, que introduzirá no meio dos homens todas as misérias que eles não conheciam antes – o nascimento por procriação, as fadigas, o trabalho árduo, as doenças, a velhice e a morte –, ele decide, para fazer com que o Titã pague sua parcialidade em favor dos humanos, não mais conceder-lhes o gozo do fogo celeste, do qual eles dispunham até então. Privados do fogo, os homens deverão devorar a carne crua, como fazem os animais? Prometeu furta então, na umbela de uma férula, uma centelha, uma semente de fogo que ele traz para a terra. Na falta do corisco do raio, os homens passam a dispor de um fogo técnico, mais frágil e mortal, que é preciso conservar, preservar e nutrir alimentando-o incessantemente para que não se apague. Ao cozinhar o alimento, esse fogo secundário, derivado, artificial em relação ao fogo celeste, distingue os homens dos bichos e os instala na vida civilizada. Os humanos tornam-se então os únicos, entre todos os animais, a compartilhar com os deuses a posse do fogo. Assim, é ele que os une ao divino elevando-se dos altares onde está aceso em direção ao céu. Mas esse fogo, celeste por sua origem e por sua destinação, é também, por seu ardor devorante, perecível como as outras criaturas vivas submetidas à necessidade de comer. A fronteira entre deuses e homens é simultaneamente atravessada pelo fogo sacrificial que os une uns aos outros e sublinhada pelo contraste entre o fogo celeste, nas mãos de Zeus, e aquele que o furto de Prometeu pôs à disposição dos homens. Por outro lado, a função do fogo sacrificial consiste em distinguir, na vítima, a parte dos deuses, totalmente consumida, e a dos humanos, apenas cozida o suficiente para não ser devorada crua. Essa relação ambígua entre os homens e os deuses no sacrifício alimentar é acompanhada de uma relação também equívoca dos homens com os animais. Para viver, uns e outros precisam comer, quer seu alimento se componha de vegetais ou de carne. Assim, são todos igualmente perecíveis. Mas os homens são os únicos que comem carne cozida, segundo certas regras e depois de oferecerem aos deuses, para honrá-los, a vida do animal que lhes é dedicada com os ossos. Se os grãos de cevada, espalhados sobre a cabeça da vítima e sobre o altar, são associados ao sacrifício cruento, é porque os cereais, alimento especificamente humano, que implica o trabalho agrícola, representam aos olhos dos gregos o modelo das plantas cultivadas que simbolizam, em contraste com uma existência selvagem, a vida civilizada. Triplamente cozidos (por uma cocção interna que a lavra favorece, pela ação do sol e pela mão do homem, que com eles faz pão), os cereais são análogos às vítimas sacrificiais, animais domésticos cujas carnes devem ser ritualmente assadas ou fervidas antes de serem comidas.

No mito prometéico, o sacrifício aparece como o resultado da rebelião do Titã contra Zeus no momento em que homens e deuses devem separar-se e fixar sua respectiva sorte. A moral dessa narrativa é que não se pode esperar ludibriar o espírito do soberano dos deuses. Prometeu tentou isso; e o preço do seu fracasso deve ser pago pelos homens. Portanto sacrificar, comemorando a aventura do Titã, fundador do rito, é aceitar sua lição. É reconhecer que, através da realização do sacrifício e de tudo o que ele acarretou para o homem – o fogo prometéico, a necessidade do trabalho, a mulher e o casamento para ter filhos, os sofrimentos, a velhice e a morte –, Zeus situou os homens no lugar onde eles devem manter-se: entre os animais e os deuses. Sacrificando, o homem se submete à vontade de Zeus, que fez dos mortais e dos Imortais duas raças distintas e separadas. A comunicação com o divino se institui durante um cerimonial de festa, de uma refeição destinada a lembrar que a antiga comensalidade acabou: deuses e homens já não vivem juntos, já não comem às mesmas mesas. Não é possível sacrificar conforme o modelo que Prometeu estabeleceu e ao mesmo tempo pretender, seja de que maneira for, igualar-se aos deuses. No próprio rito que visa a reunir os deuses e os homens, o sacrifício consagra a distância intransponível que doravante os separa.

Entre animais e deuses

Pela observância de regras alimentares, o rito estabelece o homem no estatuto que lhe é próprio: a uma justa distância da selvageria dos animais, que devoram uns aos outros inteiramente crus, e da imutável felicidade dos deuses, que ignoram a fome, a fadiga e a morte, porque alimentados de perfume e de ambrosia. Esse cuidado de delimitação precisa, de repartição exata, une estreitamente o sacrifício, no ritual e no mito, à agricultura cerealífera e ao casamento, ambos definidores, em comum com o sacrifício, da posição específica do homem civilizado. Assim como, para sobreviver, precisa consumir a carne cozida de um animal doméstico sacrificado segundo as regras, ele também necessita alimentar-se do *sîtos*, da farinha cozida de plantas domésticas regularmente cultivadas, e, para sobreviver a si mesmo, gerar um filho pela união com uma mulher que o casamento arrancou do estado selvagem para domesticá-la, fixando-a ao lar conjugal. No sacrifício grego, em razão dessa mesma exigência de equilíbrio, o sacrificante, a vítima e o deus, embora associados no rito, nunca são normalmente confundidos, mas mantidos a uma boa distância, nem perto demais nem longe demais. O fato de essa poderosa teologia, solidária a um sistema social em sua maneira de estabelecer barreiras entre o homem e aquilo que não é ele, de definir as relações dele com o aquém e o além do humano, estar inscrita no nível dos procedimentos alimentares explica que as extravagâncias de dieta, entre os órficos e os pitagóricos de um lado e certas práticas dionisíacas de outro, tenham uma significação propriamente teológica e traduzam profundas divergências na orientação religiosa. O vegetarianismo, a abstenção de carne, é a recusa ao sacrifício cruento, assimilado ao homicídio contra um próximo. No pólo oposto, a omofagia, o *diasparágmos* das Bacantes, isto é, a devoração crua de um animal acuado e despedaçado vivo, é a inversão dos valores normais do sacrifício. Mas, quer a pessoa contorne o sacrifício pelo alto, alimentando-se, como os deuses, de iguarias inteiramente puras e no limite de odores, quer o subverta por baixo, eliminando, pela diluição das fronteiras entre homens e animais, todas as distinções que o sacrifício estabelece, de modo que realize um estado de completa comunhão do qual é possível dizer tanto que ele é um retorno à doce familiaridade de todas as criaturas na idade de ouro como a queda na confusão caótica da selvageria, trata-se, nos dois casos, de instaurar, seja pela ascese individual, seja pelo frenesi coletivo, um tipo de relação com o divino que a religião oficial, através dos procedimentos do sacrifício, exclui e proíbe. Também nos dois casos, por meios inversos e com implicações contrárias, a distância normal entre o sacrificante, a vítima e a divindade se embaralha, esfuma-se e desaparece. A análise da cozinha sacrificial leva assim a distribuir, como num quadro, as posições menos ou mais excêntricas, menos ou mais integradas ou marginais, ocupadas por diversos tipos de seitas, de correntes religiosas ou de atitudes filosóficas, em ruptura não só com as formas regulares do culto mas também com o quadro institucional da cidade e com tudo o que ele implica em relação ao estatuto do homem, quando ele está, social e religiosamente, em ordem.

O MISTICISMO GREGO

O sacrifício cruento e o culto público não ocupam todo o campo da piedade grega. Ao lado deles existem correntes e grupos, menos ou mais desviantes e marginais, menos ou mais fechados e secretos, que traduzem aspirações religiosas diferentes. Alguns foram inteira ou parcialmente integrados ao culto cívico; outros permaneceram estranhos a ele. Todos contribuíram, de maneiras diversas, para abrir caminho a um "misticismo" grego marcado pela tentativa de um contato mais direto, mais íntimo, mais pessoal com os deuses, às vezes associado à busca de uma imortalidade bem-aventurada, ora outorgada após a morte por favor especial de uma divindade, ora obtida pela observância de uma regra de vida pura, reservada somente aos iniciados e que lhes dava o privilégio de liberar, já na existência terrena, a parcela de divino que permanecera presente em cada um.

No que concerne ao período clássico, convém distinguir nitidamente, nesse plano, três tipos de fenômenos religiosos. A despeito de alguns pontos de contato, difíceis de delimitar com precisão mas que são atestados pelo emprego comum de certos termos relativos ao assunto – *teleté, orgías, mýstai, bákchoi* –, não se pode assimilá-los de modo algum. Eles não são realidades religiosas da mesma ordem; não têm nem o mesmo estatuto nem a mesma finalidade.

Em primeiro lugar, os mistérios. Os de Elêusis, exemplares por seu prestígio e seu brilho, constituem na Ática um conjunto cultual bem delimitado. Oficialmente reconhecidos pela cidade, são organizados sob o controle e a tutela desta. Contudo, ficam à margem do Estado por seu caráter iniciático e secreto, assim como por seu modo de recrutamento aberto a todos os gregos e baseado não no estatuto social mas na opção pessoal dos indivíduos.

Em seguida, o dionisismo. Os cultos dionisíacos fazem parte integrante da religião cívica, e as festas em homenagem a Dioniso são celebradas da mesma maneira que qualquer outra dentro do calendário sagrado. Mas, como deus da *manía*, da loucura divina, por sua maneira de apossar-se dos fiéis entregues a ele através do transe coletivo ritualmente praticado em seus tíasos, por sua repentina intrusão neste mundo sob a forma de revelação epifânica, Dioniso introduz, no seio da religião da qual constitui uma peça, uma experiência do sobrenatural estranha e até, sob vários aspectos, oposta ao espírito do culto oficial.

Por fim, aquilo que é chamado orfismo. Nesse caso, já não se trata de cultos específicos, nem de devoção a uma divindade singular, nem mesmo de uma comunidade de crentes organizados em seita à maneira dos pitagóricos, quaisquer que possam ter sido as interferências entre as duas correntes. O orfismo é uma nebulosa na qual encontramos, de um lado, uma tradição de livros sagrados, atribuídos a Orfeu e Museu, que comportam teogonias, cosmogonias, antropogonias "heterodoxas"; e, de outro, personagens de sacerdotes itinerantes, que pregam um estilo de existência contrário à norma, um regime vegetariano, e que dispõem de técnicas de cura, de receitas de purificação para esta vida e de salvação para a outra. O destino da alma depois da morte é objeto, nesses ambientes, de preocupações e de dissertações às quais os gregos não estavam acostumados.

Como se situa, em relação a um sistema cultual baseado no respeito aos *nómoi*, às regras socialmente reconhecidas pela cidade, cada um desses três grandes fenômenos religiosos?

Os mistérios de Elêusis

Os mistérios não contradizem a religião cívica, nem quanto às crenças nem quanto às práticas. Eles a completam acrescentando-lhe uma nova dimensão, apropriada a satisfazer necessidades às quais ela não respondia. Deméter e Corê-Perséfone, as duas deusas que patrocinam, com alguns acólitos, o ciclo eleusino, são grandes figuras do panteão, e a narrativa do rapto de Corê por Hades, com todas as suas conseqüências até a fundação das *órgia*, dos ritos secretos de Elêusis, faz parte do fundo comum das lendas gregas. Na série de etapas que o candidato devia percorrer para atingir o termo derradeiro da iniciação – desde o estágio preliminar nos Pequenos Mistérios de Agra até a participação renovada nos Grandes Mistérios, em Elêusis, devendo o *mýstis* aguardar o ano seguinte para alcançar o grau de *epóptes* –, todo o cerimonial na própria Atenas, em Falero para o banho ritual no mar, e na estrada pela qual seguia de Atenas a Elêusis a imensa procissão que reunia, atrás dos objetos sagrados, o clero eleusino, os magistrados de Atenas, os mistes, as delegações estrangeiras e a multidão dos espectadores, desenvolvia-se à luz do dia, aos olhos de todos. O arconte rei, em nome do Estado, era o encarregado da celebração pública dos Grandes Mistérios, e mesmo as famílias tradicionais dos *Eymolpidas* e dos *Kérykes*, especialmente ligadas às duas deusas, eram responsáveis perante a cidade, que tinha o poder de regulamentar por decreto o detalhamento das festividades.

Somente quando os mistes, chegados ao local, já tinham penetrado no recinto do santuário é que se impunha o segredo, do qual nada devia transpirar para o lado de fora. A proibição era suficientemente poderosa para ter sido respeitada ao longo dos séculos. Mas, embora os mistérios tenham mantido seu segredo, hoje podemos tomar como certos alguns pontos. Não havia em Elêusis nenhum ensinamento, nada que se assemelhasse a uma doutrina esotérica. Sobre isso, o testemunho de Aristóteles é decisivo: "Os que são iniciados não devem aprender algo, mas experimentar emoções e ser levados a certas disposições." Plutarco, por sua vez, evoca o estado de espírito dos iniciados, que passa da angústia ao arrebatamento. Essa subversão interior, de ordem afetiva, era obtida por *drômena*, coisas encenadas e imitadas, por *legómena*, fórmulas rituais pronunciadas, e por *deiknýmena*, coisas mostradas e exibidas. Pode-se supor que elas se relacionavam com a paixão de Deméter, a descida de Corê ao mundo infernal e o destino dos mortos no Hades. O certo é que, terminada a iniciação, depois da iluminação final, o fiel tinha o sentimento de ter sido transformado por dentro. Doravante ligado às deusas por uma relação pessoal mais estreita, em íntima conivência e familiaridade com elas, tornara-se um eleito, assegurado de ter, nesta vida e na outra, uma sorte diferente da comum. "Bem-aventurado", afirma o *Hino a Deméter*, "quem teve plenamente a visão desses mistérios. O não-iniciado, o profano, não conhece semelhante destino depois da morte, na morada das Trevas." Sem apresentar uma nova concepção da alma, sem romper com a imagem tradicional do Hades, ainda assim os mistérios abriam a perspectiva de continuar sob a terra uma existência mais feliz. E esse privilégio repousava sobre a livre opção de indivíduos que decidiam submeter-se à iniciação e seguir um percurso ritual em que cada etapa assinalava um novo progresso em direção a um estado de pureza religiosa. Mas, de volta à sua casa, às suas atividades familiares, profissionais, cívicas, o iniciado em nada se distinguia daquilo que era antes e tampouco dos que não haviam conhecido a iniciação. Nenhum sinal exterior, nenhuma marca de reconhecimento, nem sequer a mínima modificação do tipo de vida. O iniciado retorna à cidade e ali se reinstala para fazer o que sempre fez, sem que nada tenha mudado nele, exceto sua convicção de ter adquirido, através dessa experiência religiosa, a vantagem de incluir-se, depois da morte, no número dos eleitos: para ele, nas Trevas ainda haverá luz, alegria, danças e cantos. Sem dúvida, essas esperanças relativas ao além poderão ser retomadas, alimentadas, desenvolvidas em ambientes de seitas que também utilizarão o simbolismo dos mistérios, seu caráter secreto, sua hierarquia de graus. Mas, para a cidade que os patrocina, para os cidadãos, iniciados ou não, nada nos mistérios se opõe àquilo que a religião oficial lhes exige como uma parte dela mesma.

Dioniso, o estranho estrangeiro

À primeira vista, o estatuto do dionisismo pode parecer análogo ao dos mistérios. O culto também comporta *teletaí* e *órgia*, iniciações e ritos secretos, que não podem ser conhecidos por aqueles que não foram entronizados como *bákchoi*. Mas em Atenas as festas invernais de Dioniso, Oscofórias, Dionísias rurais, Leneanas, Antestérias e Dionísias urbanas não formam como em Elêusis um conjunto seguido e encerrado em si mesmo, um ciclo fechado, mas uma série descontínua, distribuída pelo calendário ao lado das festas dos outros deuses e sujeita às mesmas normas de celebração. Todas são cerimônias oficiais de caráter plenamente cívico. Algumas comportam um elemento de segredo e requerem um grupo religioso especializado, como por ocasião do casamento anual da rainha, esposa do arconte rei, com Dioniso, a quem ela se une, durante as Antestérias, no Bucólion. Um colégio de catorze mulheres, as *Geraraí*, assistem-na nesse ofício e cumprem ritos secretos no santuário de Dioniso, no Pântano. Mas o fazem "em nome da cidade" e "segundo suas tradições". Foi o próprio povo, conforme nos é esclarecido, que editou essas prescrições e mandou guardá-las em lugar seguro, gravadas numa estela. Portanto o casamento secreto da rainha tem valor de reconhecimento oficial, por parte da cidade, da divindade de Dioniso. Ele consagra a união da comunidade cívica com o deus, sua integração à ordem religiosa coletiva. As Tíades, que, a cada três anos, dirigem-se ao Parnaso para, em plena montanha, fazer-se Bacantes junto com as de Delfos, também agem em nome da cidade. Elas não formam um grupo segregado de iniciados, uma confraria marginal de eleitos, uma seita de desviantes. São um colégio feminino oficial, ao qual a cidade confia o encargo de representar Atenas entre os délficos no âmbito do culto prestado a Dioniso no santuário de Apolo.

Não parecem ter existido no século V, na Ática ou mesmo, ao que parece, na Grécia continental, associações dionisíacas privadas, que recrutassem adeptos para celebrar, na intimidade de um grupo fechado, um culto específico ou uma forma de convívio colocada sob o patrocínio do deus, como será o caso, alguns séculos mais tarde, com os *Ióbakchoi*. Quando, por volta do século V, quer organizar um culto a Dioniso, a cidade de Magnésia do Meandro funda três tíasos, depois de consultar Delfos: são três colégios femininos oficiais postos sob a direção de sacerdotisas qualificadas, vindas especialmente de Tebas para tal fim.

O que, então, faz a originalidade de Dioniso e de seu culto, em relação aos outros deuses? Contrariamente aos mistérios, o dionisismo não se situa ao lado da religião cívica para prolongá-la. Ele exprime o reconhecimento oficial, por parte da cidade, de uma religião que, sob muitos aspectos, escapa à cidade, contradizendo-a e ultrapassando-a. Instala no centro da vida pública comportamentos religiosos, que, sob forma alusiva, simbólica ou de maneira aberta, apresentam aspectos de excentricidade.

É que, até no mundo dos deuses olimpianos ao qual foi admitido, Dioniso encarna, segundo a bela frase de Louis Gernet, a figura do Outro. Seu papel não é confirmar e reforçar, sacralizando-a, a ordem humana e social. Dioniso questiona essa ordem; ele a faz despedaçar-se ao revelar, por sua presença, outro aspecto do sagrado, já não regular, estável e definido, mas estranho, inapreensível e desconcertante. Único deus grego dotado de um poder de *maya*, de magia, ele está além de todas as formas, escapa a todas as definições, reveste todos os aspectos sem se deixar encerrar em nenhum. À maneira de um ilusionista, joga com as aparências, embaralha as fronteiras entre o fantástico e o real. Ubiqüitário, nunca está ali onde está, sempre presente ao mesmo tempo aqui, alhures e em lugar algum. Assim que ele aparece, as categorias distintas, as oposições nítidas, que dão coerência e racionalidade ao mundo, esfumam-se, fundem-se e passam de umas para outras: o masculino e o feminino, aos quais ele se aparenta simultaneamente; o céu e a terra, que ele une inserindo, quando surge, o sobrenatural em plena natureza, bem no meio dos homens; nele e por ele, o jovem e o velho, o selvagem e o civilizado, o distante e o próximo, o além e este mundo se encontram.

E mais: ele elimina a distância que separa os deuses dos homens, e estes dos animais. Quando as Mênades de seu tíaso se entregam, enlouquecidas, ao frenesi do transe, o deus se apossa delas, instala-se nelas para submetê-las e conduzi-las a seu gosto. No delírio e no entusiasmo, a criatura humana desempenha o papel de deus e este, dentro do fiel, o de homem. De um a outro, as fronteiras embaralham-se bruscamente ou desaparecem, numa proximidade em que o homem se vê como que desterrado de sua existência cotidiana, de sua vida corriqueira, desprendido de si mesmo, transportado para um longínquo alhures. Essa contigüidade que o transe estabelece com o divino faz-se acompanhar de uma familiaridade nova com a selvageria animal. Sobre as Mênades, acredita-se que, longe de seu ambiente doméstico, das cidades, das terras cultivadas, elas brincam com as serpentes, amamentam os filhotes dos animais, como se fossem seus, e também os perseguem, atacam-nos e os dilaceram vivos (*diasparagmós*), devoram-nos inteiramente crus (*omophagía*), assimilando-se assim, em sua conduta alimentar, àqueles bichos selvagens que, contrariamente aos homens, comedores de pão e da carne cozida de animais domésticos ritualmente sacrificados aos deuses, se entredevoram e lambem o sangue uns dos outros, sem regra nem lei, sem nada conhecer além da fome que os impele.

O menadismo, que é assunto de mulheres, comporta em seu paroxismo dois aspectos opostos. Para os fiéis, em comunhão feliz com o deus, traz a alegria sobrenatural de uma evasão momentânea para um mundo de idade de ouro no qual todas as criaturas vivas se vêem fraternalmente misturadas. Mas, para as mulheres e as cidades que rejeitam o deus e que ele deve castigar a fim de coagi-las, a *manía* resulta no horror e na loucura das mais atrozes máculas: um retorno ao caos num mundo sem regra, no qual mulheres enfurecidas devoram a carne dos seus próprios filhos, cujo corpo elas diláceram com suas mãos como se se tratasse de animais selvagens. Deus dúplice, que une duas faces em sua pessoa, como ele mesmo proclama em *As bacantes* de Eurípides, Dioniso é ao mesmo tempo "o mais terrível e o mais doce".

Para que se revele benéfica em sua doçura essa Potência de estranheza, cuja irrepreensível exuberância, cujo dinamismo invasor parecem ameaçar o equilíbrio da religião cívica, é necessário que a cidade acolha Dioniso, reconheça-o como seu, garanta-lhe ao lado dos outros deuses um lugar no culto público. Celebrar solenemente, para toda a comunidade, as festas de Dioniso; organizar, para as mulheres, no âmbito de tíasos oficializados e promovidos a instituição pública, uma forma de transe controlado, dominado, ritualizado; desenvolver para os homens, no júbilo do *kômos*, pelo vinho e pela embriaguez, o jogo e a festa, a mascarada e o disfarce, a experiência de um desterro em relação ao curso normal das coisas; enfim, fundar o teatro, em que, no palco, a ilusão ganha corpo e se anima, e o fictício se mostra como se fosse realidade: em todos os casos, trata-se, pela integração de Dioniso à cidade e à religião desta, de instalar o Outro, com todas as honras, no centro do dispositivo social.

Plenitude do êxtase, do entusiasmo, da possessão, é certo, mas também felicidade do vinho, da festa, do teatro, prazeres de amor, exaltação da vida no que ela comporta de impetuoso e de imprevisto, alegria das máscaras e do travestismo, felicidade do cotidiano: Dioniso pode trazer tudo isso, se homens e cidade aceitarem reconhecê-lo. Mas em nenhum caso vem anunciar uma sorte melhor no além. Ele não preconiza a fuga para fora do mundo, não prega a renúncia nem pretende proporcionar às almas, por um tipo de vida ascético, o acesso à imortalidade. Ele atua para fazer surgirem, desde esta vida e neste mundo, em torno de nós e em nós, as múltiplas figuras do Outro. Ele nos abre, nesta terra e no próprio âmbito da cidade, o caminho de uma evasão para uma desconcertante estranheza. Dioniso nos ensina ou nos obriga a tornar-nos o contrário daquilo que somos comumente.

É sem dúvida essa necessidade de evasão, essa nostalgia de uma união completa com o divino, que, mais que a descida de Dioniso ao mundo infernal para ali buscar sua mãe Sêmele, explica o fato de o deus poder ter sido associado, às vezes muito estreitamente, aos mistérios das duas deusas eleusinas. A esposa do arconte rei, quando parte para celebrar seu casamento com Dioniso, é assistida pelo arauto sagrado de Elêusis; e nas Leneanas, talvez a mais antiga das festas áticas de Dioniso, é o porta-archote de Elêusis que comanda a invocação, retomada pelo público: "Iaco, filho de Sêmele." O deus está presente em Elêusis desde o século V. Presença discreta e papel menor no próprio lugar, onde não tem nem templo nem sacerdote. Ele intervém sob a figura de Iaco, a quem é assimilado, e cuja função é presidir à procissão de Atenas para Elêusis, por ocasião dos Grandes Mistérios. Iaco é a personificação do jubiloso grito ritual, lançado pelo cortejo dos mistes, num ambiente de esperança e de festa. E, nas representações de um além com o qual os fiéis do deus da *manía* não parecem preocupar-se muito, nessa época (à exceção, talvez, do sul da Itália), foi possível imaginar Iaco conduzindo sob a terra o coro bem-aventurado dos iniciados, assim como Dioniso conduz neste mundo o tíaso de suas bacantes.

O orfismo. Em busca da unidade perdida

Os problemas do orfismo são de outra ordem. Essa corrente religiosa, na diversidade de suas formas, pertence essencialmente ao helenismo tardio, durante o qual ganhará mais amplitude. Várias descobertas recentes, porém, vieram confirmar a opinião dos historiadores convencidos de que cumpria reservar-lhe um lugar na religião da época clássica. Comecemos pelo primeiro aspecto do orfismo: uma tradição de textos escritos, de livros sagrados. O papiro de Derveni, encontrado em 1962 num túmulo perto de Salônica, prova que, no século V e sem dúvida já no século VI, circulavam teogonias que os filósofos pré-socráticos podem ter conhecido e nas quais Empédocles parece ter se inspirado parcialmente. Assim, um primeiro traço do orfismo aparece desde a origem: uma forma "doutrinária" que o opõe tanto aos mistérios e ao dionisismo quanto ao culto oficial, para aproximá-lo da filosofia. Essas teogonias nos são conhecidas sob versões múltiplas mas de mesma orientação fundamental: elas se opõem diametralmente à tradição hesiódica. Em Hesíodo, o universo divino organiza-se segundo um progresso linear que conduz da desordem à ordem, de um estado original de confusão indistinta a um mundo diferenciado e hierarquizado sob a autoridade imutável de Zeus. Entre os órficos, dá-se o inverso: na origem, o Princípio, Ovo primordial ou Noite, exprime a unidade perfeita, a plenitude de uma totalidade fechada. Mas o Ser degrada-se à medida que a unidade se divide e se desmancha para fazer aparecerem formas distintas, indivíduos separados. A esse ciclo de dispersão deve suceder um ciclo de reintegração das partes na unidade do Todo. Será, na sexta geração, o advento do Dioniso órfico, cujo reinado representa o retorno ao Um, a reconquista da Plenitude perdida. Mas Dioniso não se limita a fazer sua parte numa teogonia que substitui a emergência progressiva de uma ordem diferenciada por uma queda na divisão continuada e como que resgatada por uma reintegração no Todo. Na narrativa de seu desmembramento pelos Titãs que o devoram, de sua reconstituição a partir do coração, preservado intacto, dos Titãs fulminados por Zeus, do nascimento, a partir das cinzas deles, da raça humana – narrativa que nos é atestada na época helenística mas à qual já parecem aludir Píndaro, Heródoto e Platão –, o próprio Dioniso assume em sua pessoa de deus o duplo ciclo de dispersão e de reunificação, ao longo de uma "paixão" que envolve diretamente a vida dos homens, visto que fundamenta miticamente a desgraça da condição humana ao mesmo tempo que abre, para os mortais, a perspectiva da salvação. Oriunda das cinzas dos Titãs fulminados, a raça dos homens carrega como herança a culpa de ter desmembrado o corpo do deus. Mas, purificando-se da falta ancestral pelos ritos e pelo tipo de vida órficos, abstendo-se de toda carne para evitar a impureza desse sacrifício cruento que a cidade santifica mas que lembra, para os órficos, o monstruoso festim dos Titãs, cada homem, tendo guardado em si uma parcela de Dioniso, pode, também, retornar à unidade perdida, reencontrar o deus e recuperar no além uma vida de época áurea. As teogonias órficas desembocam, portanto, numa antropogonia e numa soteriologia que lhes dão seu verdadeiro sentido. Na literatura sacra dos órficos, o aspecto doutrinal não é separável de uma busca da salvação; a adoção de um tipo de vida puro, o descarte de toda mácula, a escolha de um regime vegetariano traduzem a ambição de escapar à sorte comum, à finitude e à morte, de unir-se inteiramente ao divino. A rejeição do sacrifício cruento não constitui apenas um afastamento, um desvio em relação à prática corrente. O vegetarianismo contradiz justamente aquilo que o sacrifício implicava: a existência entre homens e deuses, até no ritual que os faz comunicar-se, de um fosso intransponível. A busca individual de salvação situa-se fora da religião cívica. Como corrente espiritual, o orfismo mostra-se exterior e estranho à cidade, a suas regras e seus valores.

É inegável, contudo, que sua influência se exerceu em várias direções. A partir do século V, certos escritos órficos parecem ter sido concernentes a Elêusis, e, quaisquer que tenham sido as diferenças, ou antes, as oposições, entre o Dioniso do culto oficial e o dos escritos órficos, bem cedo puderam produzir-se assimilações. Eurípides, em seu *Hipólito*, evoca pela boca de Teseu o jovem "que se faz Bacante sob a direção de Orfeu", e Heródoto, ao lembrar a proibição de amortalhar uma pessoa com roupas de lã, atribui essa prescrição "aos cultos que são denominados órficos e báquicos". Mas essas aproximações não são decisivas, visto que o termo "báquico" não era reservado exclusivamente aos rituais dionisíacos. A única atestação de uma interferência direta entre Dioniso e os órficos, simultaneamente à de uma dimensão escatológica de Dioniso, situa-se à margem da Grécia, à beira do mar Negro, na Ólbia do século V. Ali foram descobertos, em placas de osso, grafitos nos quais se podem ler, inscritas lado a lado, as palavras *Diónysos Órphikoi* e a continuação: *bíos thánatos bíos* ("vida morte vida"). Mas, como já observou alguém, esse quebra-cabeça permanece mais enigmático que esclarecedor e, no estado atual da documentação, antes depõe, por seu caráter singular, sobre o particularismo da vida religiosa na colônia de Ólbia com sua circunvizinhança cita.

Fugir do mundo

Na realidade, o impacto do orfismo sobre a mentalidade religiosa dos gregos na época clássica referiu-se essencialmente a dois domínios. No nível da piedade popular, alimentou as inquietações e as práticas dos "supersticiosos" obsedados pelo temor das máculas e das doenças. Teofrasto, em seu retrato do "Supersticioso", mostra-o indo a cada mês, para renovar sua iniciação, em companhia da esposa e dos filhos, ao encontro dos orfeotelestes, que Platão, por sua vez, descreve como sacerdotes mendicantes, adivinhos ambulantes que ganhavam dinheiro com sua suposta competência em matéria de purificações e de iniciações (*katharmoí, teletaí*) para os vivos e para os mortos. Esses personagens de sacerdotes marginais que, caminhando de cidade em cidade, baseiam sua ciência dos ritos secretos e das encantações na autoridade dos livros de Museu e de Orfeu são de bom grado assimilados a uma trupe de mágicos e charlatães que exploram a credulidade pública.

Contudo, em outro nível, mais intelectual, os escritos órficos inseriram-se, ao lado de outros, na corrente que, modificando os contextos da experiência religiosa, inflectiu a orientação da vida espiritual dos gregos. Sob esse aspecto, a tradição órfica inscreve-se, como o pitagorismo, na linha dos personagens fora de série, excepcionais por seu prestígio e seus poderes, "homens divinos" cuja competência foi utilizada, desde o século VII, para purificar as cidades e que às vezes foram definidos como os representantes de um "xamanismo grego". Em pleno século V, Empédocles comprova a vitalidade desse modelo de mago, capaz de comandar os ventos, de trazer do Hades um defunto, e que se apresenta ele mesmo não mais como um mortal mas como um deus. Um traço marcante dessas figuras singulares, que, ao lado de Epimênides e Empédocles, incluem missionários inspirados, mais ou menos míticos, como Ábaris, Aristéia e Hermotimo, é que eles se colocam, com sua disciplina, seus exercícios espirituais de controle e de concentração do sopro respiratório, suas técnicas de ascese e de rememoração de suas vidas anteriores, sob o patrocínio não de Dioniso mas de Apolo, um Apolo Hiperbóreo, mestre da inspiração extática e das purificações.

No transe coletivo do tíaso dionisíaco, é o deus que vem a este mundo para apossar-se do grupo de seus fiéis, cavalgá-los, fazê-los dançar e saltar a seu gosto. Os possuídos não deixam este mundo; neste mundo, eles são tornados outros pela potência que os habita. Em contraposição, entre os "homens divinos", por mais diversos que sejam, é o indivíduo humano que toma a iniciativa, conduz o jogo e passa para o outro lado. Graças aos poderes excepcionais que soube adquirir, ele pode deixar seu corpo abandonado como que em estado de sono cataléptico, viajar livremente pelo outro mundo e retornar a esta terra conservando a lembrança de tudo o que viu no além.

Esse tipo de homem, o modo de vida que escolhia, suas técnicas de êxtase implicavam a presença, nele, de um elemento sobrenatural, estranho à vida terrestre, de um ser vindo de alhures e em exílio, de uma alma, *psykhé*, que já não seria, como em Homero, uma sombra sem força, um reflexo inconsistente, mas um *daímon*, uma potência aparentada com o divino e impaciente por reencontrá-lo. Possuir o controle e o domínio dessa *psykhé*, isolá-la do corpo, concentrá-la em si mesma, purificá-la, libertá-la, alcançar através dela o lugar celeste do qual se conserva a nostalgia, tais poderiam ter sido, nessa linha, o objeto e o fim da experiência religiosa. Contudo, por todo o tempo em que a cidade permaneceu viva, nenhuma seita, nenhuma prática cultual, nenhum grupo organizado expressou com pleno rigor e com todas as conseqüências essa exigência de saída do corpo, de fuga para fora do mundo, de união íntima e pessoal com a divindade. A religião grega não conheceu o personagem do "renunciante". Foi a filosofia que, ao transpor para seu próprio registro os temas da ascese, da purificação da alma, da imortalidade desta, assumiu essa tarefa.

Para o oráculo de Delfos, "Conhece-te a ti mesmo" significava: fica ciente de que não és deus e não cometas o erro de pretender tornar-te um. Para o Sócrates de Platão, que retoma a frase a seu modo, ela quer dizer: conhece o deus que, em ti, és tu mesmo. Esforça-te por te tornares, tanto quanto possível, semelhante ao deus.

BIBLIOGRAFIA

Obras gerais

BIANCHI, Ugo, *La religione greca*, Turim, 1975.
BRUIT-ZAIDMAN, Louise, e SCHMITT-PANTEL, Pauline, *La Religion grecque*, Paris, 1989.
BURKERT, Walter, *Griechische Religion der archaischen und klassischen Epoche*, Stuttgart, 1977. Tradução inglesa: *Greek Religion*, Oxford, 1985.
CHIRASSI COLOMBO, Ileana, *La religione in Grecia*, Roma-Bari, 1983.
FESTUGIÈRE, A.-J., "La Grèce", em *Histoire générale des religions*, sob a direção de M. Gorce e R. Mortier, tomo II, Paris, 1944, pp. 27-147.
GERNET, Louis, e BOULANGER, André, *Le Génie grec dans la religion*, Paris, 1932. Reimpresso em 1970 com uma bibliografia complementar.
HARRISON, Jane Ellen, *Themis. A Study of the Social Origins of Greek Religion*, Cambridge, 1927.
KERÉNYI, Karl, *Die antike Religion. Eine Grudlegung*, Amsterdam, 1940. Tradução francesa: *La Religion antique. Ses lignes fondamentales*, Genebra, 1971.
NILSSON, Martin P., *Geschichte der griechischen Religion*, 2 vols., Munique (*Handbuch der Altertumswissenschaftm*, 5, 2). Tomo I: *Die Re-*

ligion Griechenlands bis auf die griechische Weltherrschaft (1941), 3ª ed. revisada, 1967. Tomo II: *Die hellenistische und römische Zeit* (1957), 3ª ed. revista, 1974. Do mesmo autor, pode-se consultar também o livro *A History of Greek Religion*, traduzido do sueco por F. J. Fielden, Oxford, 1925, 2ª ed., 1949.

VIAN, Francis, "La religion grecque à l'époque archaïque et classique", em *Histoire des religions* (Encyclopédie de la Pléiade), tomo I, publicado sob a direção de Henri-Charles Puech, Paris, 1970, pp. 489-577.

Deuses e heróis

BRELICH, Angelo, *Gli eroi greci. Un problema storico-religioso*, Roma, 1958.

FARNELL, Lewis R., *Greek Hero Cults and Ideas of Immortality*, Oxford, 1921.

GUTHRIE, W. K. C., *The Greeks and their Gods*, Londres, 1950. Tradução francesa: *Les Grecs et leurs dieux*, Paris, 1956.

KERÉNYI, Karl, *The Heroes of the Greeks*, Londres, 1959.

OTTO, Walter F., *Die Götter Griechenlands. Das Bild des Göttlichen im Spiegel des griechischen Geistes*, Bonn, 1929. Tradução inglesa por Moses Hadas, *The Homeric Gods. The Spiritual Significance of Greek Religion* (1954). Reimpressão, Boston, 1964. Tradução francesa por C.-N. Grimbert e A. Morgant, *Les Dieux de la Grèce. La figure du divin au miroir de l'esprit grec*, prefácio de M. Detienne, Paris, 1981.

SÉCHAN, Louis, e LÉVÊQUE, Pierre, *Les Grandes Divinités de la Grèce*, Paris, 1966.

Mito e ritual

BURKERT, Walter, *Structure and History in Greek Mythology and Ritual*, Berkeley-Los Angeles-Londres, 1979.

DETIENNE, Marcel, *L'Invention de la mythologie*, Paris, 1981.

DEUBNER, Ludwig, *Attische Feste*, Berlim, 1932. Reimpressão, Hildescheim, 1966.

FARNELL, Lesis R., *The Cults of the Greek States*, 5 vols., Oxford, 1896-1909.

KIRK, G. S., *Myth. Its Meaning and Functions in Ancient and other Cultures*, Cambridge-Berkeley-Los Angeles, 1970.
NILSSON, Martin, P., *Griechische Feste von religiöser Bedeutung. Mit Ausschluss der Attischen*, Berlim, 1906. Reimpressão Stuttgart, 1957.
PARKE, H. W., *Festivals of the Athenians*, Londres, 1977.
RUDHARDT, Jean, *Notions fondamentales de la pensée religieuse et actes constitutifs du culte dans la Grèce classique*, Genebra, 1958.
VERNANT, Jean-Pierre, *Mythe et pensée chez les Grecs*, Paris, 1965. Duas novas edições, ampliadas a cada vez com vários estudos, saíram em 1975 e 1985. *Mythe et société en Grèce ancienne*, Paris, 1974.

Divinação, oráculos

BOUCHÉ-LECLERCQ, A., *Histoire de la divination dans l'Antiquité*, 4 vols., Paris, 1879-82. Reimpressão, Bruxelas, 1963.
DELCOURT, Marie, *L'Oracle de Delphes*, Paris, 1955. Nova edição, 1981.
PARKE, H. W., e WORMELL, D. E. W., *The Delphic Oracle*, 2 vols., Oxford, 1956.

Sacrifício

Le Sacrifice dans l'Antiquité, oito exposições seguidas de discussões, preparadas e presididas por Olivier Reverdin e Jean Rudhart, 25 a 30 de agosto de 1980, *Entretiens sur l'Antiquité classique*, vol. XXVII, Fondation Hardt, Genebra, 1981.
BURKERT, Walter, *Homo Necans. Interpretationen altgriechischer Opferriten und Mythen*, Berlim, 1972.
CASABONA, Jean, *Recherches sur le vocabulaire des sacrifices en grec, des origines à la fin de l'époque classique*, Aix-en-Provence, 1966.
DETIENNE, Marcel, e VERNANT, Jean-Pierre (orgs.), com as colaborações de Jean-Louis Durand, Stella Georgoudi, François Hartog e Jesper Svenbro, *La Cuisine du sacrifice en pays grec*, Paris, 1979.
DURAND, Jean-Louis, *Sacrifice et labour en Grèce ancienne*, Paris-Roma, 1986.

MEULI, Karl, "Griechische Opferbräuche", em *Phyllobolia für Peter von der Mühll*, Basiléia, 1946, pp. 185-288.

Mistérios, dionisismo, orfismo

L'Association dionysiaque dans les sociétés anciennes, Registro da mesa-redonda organizada pela École Française de Rome (24 a 25 de maio de 1984), Roma, 1986.

BURKERT, Walter, *Ancient Mystery Cults*, Cambridge-Londres, 1987.

DARAKI, Maria, *Dionysos*, Paris, 1985.

DETIENNE, Marcel, *Dionysos mis à mort*, Paris, 1977; 2ª ed., 1980. *Dionysos à ciel ouvert*, Paris, 1986. *L'Écriture d'Orphée*, Paris, 1989.

GUTHRIE, W. K. C., *Orpheus and Greek Religion. A Study of the Orphic Movement*, 2ª ed., Londres, 1952. Tradução francesa: *Orphée et la religion grecque. Étude sur la pensée orphique*, Paris, 1956.

JEANMAIRE, Henri, *Dionysos. Histoire du culte de Bacchus*, Paris, 1951.

KERÉNYI, Karl, *Dionysos. Archetypal Image of Indestructible Life*, Londres, 1976. Traduzido do manuscrito original do autor por Ralph Manheim.

LINFORTH, Ivan M., *The Arts of Orpheus*, Berkeley-Los Angeles, 1941. Reimpressão, Nova York, 1973.

MYLONAS, George E., *Eleusis and the Eleusinian Mysteries*, Princeton, 1961.

OTTO, Walter F., *Dionysos, Mythos und Kultus*, Frankfurt, 1933. Tradução francesa por Patrick Lévy, *Dionysos. Le mythe et le culte*, Paris, 1969.

SABBATUCCI, Dario, *Saggio sul misticismo greco*, Roma, 1965. Tradução francesa por J.-P. Darmon, *Essai sur le mysticisme grec*, Paris, 1982.

Principais obras do autor

Les Origines de la pensée grecque, PUF, col. "Mythes et religions", 1962; 7ª ed., col. "Quadrige", 1990.

Mythe et Pensée chez les Grecs. Études de psychologie historique, Maspero, col. "Textes à l'appui", 1965; nova edição, ampliada, La Découverte, 1985.

Mythe et Tragédie en Grèce ancienne (com Pierre Vidal-Naquet), Maspero, col. "Textes à l'appui", 1972; 7ª ed., 1989.

Mythe et Société en Grèce ancienne, Maspero, col. "Textes à l'appui", 1974; 5ª ed., col. "Fondations", 1988.

Les Ruses de l'intelligence. La métis des Grecs (com Marcel Detienne), Flammarion, col. "Nouvelle Bibliothèque Scientifique", 1974; 2ª ed., col. "Champs", 1978.

Religion grecque, religions antiques, Maspero, col. "Textes à l'appui", 1976.

Religions, histoires, raisons, "Petite collection Maspero", 1979.

La Cuisine du sacrifice en pays grec (sob a direção de Marcel Detienne e Jean-Pierre Vernant), Gallimard, col. "Bibliothèque des histoires", 1979; 2ª ed., 1983.

La Mort dans les yeux. Figures de l'autre en Grèce ancienne, Hachette, col. "Textes du XXe siècle", 1985; 2ª ed., 1986.

Mythe et Tragédie II (com Pierre Vidal-Naquet), La Découverte, col. "Textes à l'appui", 1986.

L'Individu, la mort, l'amour. Soi-même et l'autre en Grèce ancienne, Gallimard, col. "Bibliothèque des histoires", 1989.

Mythes grecs au figuré de l'antiquité, au baroque (sob a direção de Stella Georgoudi e Jean-Pierre Vernant), Gallimard, col. "Le Temps des images", 1996.

Entre mythe et politique, Seuil, "La Librairie du XXe siècle", 1996.

Dans l'œil du miroir (com Françoise Frontisii-Ducroux), Odile Jacob, 1997.

L'Univers, les dieux, les hommes, récits grecs des origines, Seuil, "La Librairie du XXe siècle", 1999.

Alguns textos de *Mythe et Pensée chez les Grecs*, *Mythe et Tragédie en Grèce ancienne* e *Mythe et Tragédie II* foram retomados em J.-P. Vernant e P. Vidal-Naquet, *La Grèce ancienne*, Seuil, col. "Points Essais": vol. I, *Du mythe à la raison*, 1990, vol. II, *L'Espace et le Temps*, 1991, e vol. III, *Rites de passage et Transgressions*, 1992.